U0932656

“十二五”国家重点图书出版规划项目

CHINA WETLANDS RESOURCES

Beijing Volume

中国湿地资源

北京卷

◎ 国家林业局组织编写

中国林業出版社

图书在版编目（CIP）数据

中国湿地资源·北京卷／国家林业局组织编写；高士武分册主编．－北京：中国林业出版社，2015.12

“十二五”国家重点图书出版规划项目

ISBN 978-7-5038-8312-5

Ⅰ.①中… Ⅱ.①国… ②高… Ⅲ.①湿地资源－研究－北京市 Ⅳ.① P942.078

中国版本图书馆 CIP 数据核字（2015）第 296596 号

总 策 划：金 旻

策划编辑：徐小英

主要编辑：徐小英 刘香瑞 李 伟
何 鹏 于界芬

美术编辑：赵 芳

出版发行 中国林业出版社（100009 北京西城区刘海胡同 7 号）
http://lycb.forestry.gov.cn
E-mail:forestbook@163.com 电话：(010)83143515、83143543

设计制作 北京天放自动化技术开发公司
北京捷艺轩彩印制版有限公司

印刷装订 北京中科印刷有限公司

版 次 2015 年 12 月第 1 版

印 次 2015 年 12 月第 1 次

开 本 787mm × 1092mm 1/16

字 数 204 千字

印 张 8

定 价 75.00 元

中国湿地资源系列图书
编撰工作领导小组

顾　问：陈宜瑜　李文华　刘兴土

组　长：张永利

副组长：马广仁

成　员：（按姓氏笔画排序）

王文宇　王忠武　王海洋　韦纯良　邓乃平　邓三龙
兰宏良　刘建武　刘艳玲　刘新池　李　兴　李三原
李永林　来景刚　吴　亚　张宗启　陆月星　陈则生
陈传进　陈俊光　林云举　呼　群　金　旻　金小麒
周光辉　降　初　孟　沙　侯新华　夏春胜　党晓勇
徐济德　奚克路　阎钢军　程中才　雷桂龙　蔡炳华
樊　辉

中国湿地资源系列图书
编撰工作领导小组办公室

主　任：马广仁

副主任：鲍达明　唐小平　熊智平　马洪兵

成　员：王福田　姬文元　刘　平　闫宏伟　李　忠　田亚玲
王志臣　张阳武　但新球　刘世好　王　侠　徐小英

《中国湿地资源·北京卷》
编辑委员会

《中国湿地资源·北京卷》
编写组

主　　编：高士武
副 主 编：刘润泽　薛　康　杜鹏志　杨在兰
编 著 者：杜鹏志　杨在兰　张一鸣　吴　琼　钟建新　马洪兵
王　侠
主　　审：杜鹏志
地图绘制：张一鸣
照片摄影：戴金宝等

总 序

湿地是地球表层系统的重要组成部分，是自然界最具生产力的生态系统和人类文明的发祥地之一。在联合国环境规划署（UNEP）委托世界自然保护联盟（IUCN）编制的《世界自然资源保护大纲》中，湿地与森林和海洋一起并称为全球三大生态系统。湿地具有类型多样、分布广泛的特点；湿地更重要的是还具有多种供给、调节、支持与文化服务功能，是人类重要的生存环境和资源资本。湿地与人类生产生活和社会经济发展息息相关。湿地的重要性受到世界各国和国际社会的普遍关注。早在1971年，国际社会就建立了全球第一个政府间多边环境公约，即《关于特别是作为水禽栖息地的国际重要湿地公约》（简称《湿地公约》）。同时，该公约也是全球最早针对单一生态系统保护的国际公约。1992年中国加入《湿地公约》，自此我国湿地保护事业进入了新的发展时期。

我国加入《湿地公约》后，在国家林业局设立了专门的湿地保护和履约机构，对内负责组织、协调、指导和监督全国湿地保护工作，对外负责《湿地公约》的履约工作。近年来，中国各级政府在湿地保护方面开展了大量卓有成效的工作，采取了一系列保护和合理利用湿地资源的措施，在湿地保护规划和重点工程建设、财政补贴政策制定实施、法规制度建设、保护体系建设、科研监测、宣传教育和国际合作等方面取得了长足进步。但我国湿地生态系统仍然面临着盲目围垦与改造、污染、水土流失、泥沙淤积、生物资源过度利用等多种因素的破坏和威胁，导致面积减少，生态功能下降，生物多样性丧失。因此，切实保护和合理利用湿地资源，既是保障生态安全和国土安全的当务之急，更是中国实施可持续发展战略势在必行的要务。

开展湿地资源调查，摸清湿地资源家底，把握湿地资源动态，是所有湿地保护工作的基础，也是履行《湿地公约》各项工作的根基。2009～2013年，在中央财政的支持下，国家林业局组织开展了第二次全国湿地资源调查工作。在此期间，我有幸作为第二次全国湿地资源调查专家技术委员会的主任委员，和其他专家一起全程参与了此次湿地资源调查的主要技术环节和成果鉴定。

我认为此次调查具有以下几个特点：一是，此次调查的湿地分类、界定标准、调查方法基本与《湿地公约》规定相接轨，使得调查数据符合《湿地公约》的要求，调查成果易于被国际认可，便于国际间的对比和交流。二是，制定了内容全面、方法科学、符合国际标准的统一技术规程《全国湿地资源调查技术规程（试行）》，进行了同标准、同口径的分期分批调查。三是，本次调查利用“3S”技术与现地验证相结合的技术方法，查清了全国范围内（未包括香港、澳门、台湾）8 公顷以上的湿地资源基本情况。四是，湿地调查分为一般调查和重点调查。重点调查包括，国际重要湿地、国家重要湿地、自然保护区（含自然保护小区）和湿地公园内的湿地以及其他特有、分布濒危物种和红树林等具有特殊保护价值的湿地。五是，组织保障有力。国家层面上，成立了第二次全国湿地资源调查领导小组、专家技术委员会、中央技术支撑单位和国家质量检查组；省级层面上，分别成立了湿地调查专职机构，组建了省级专业调查队伍。

需要指出的是，第二次全国湿地资源调查期间，我国湿地保护事业发展迅速。2009 年，中央启动了“湿地生态效益补偿试点”工作；2010 年开始，中央财政设立了湿地保护补助专项资金；2012 年，党的十八大将建设生态文明纳入中国特色社会主义事业“五位一体”总体布局，提出要“扩大森林、湖泊、湿地面积，保护生物多样性”。期间，国家林业局会同相关部门认真实施了《全国湿地保护工程实施规划 (2005 ～ 2010 年)》和《全国湿地保护工程“十二五”实施规划》。2013 年，国家林业局出台的《推进生态文明建设规划纲要》划定了湿地保护红线，到 2020 年中国湿地面积不少于 8 亿亩。2013 年，国家林业局出台了第一部国家层面的湿地保护部门规章《湿地保护管理规定》。应该说，历时 5 年的湿地资源调查与同期湿地保护事业的发展，是休戚相关，相互促进的。

第二次全国湿地资源调查取得了丰硕成果。在全球范围内，我国率先完成了《湿地公约》倡导的国家湿地资源调查，首次科学、系统地查明了《湿地公约》所定义的我国湿地资源情况。建立了完整的全国湿地资源空间数据库和属性数据库，掌握了近 10 年来湿地资源动态变化情况，建立了稳定的湿地资源调查专业队伍和专家团队，形成了较为完整的湿地资源调查监测技术规范，完成了全国湿地资源总报告、分省报告和多个专题报告，编制了系列成果图。调查成果达到国际先进水平。

党的十八大对建设生态文明作出了全面部署，强调把生态文明建设放在突出地位，融入经济建设、政治建设、文化建设、社会建设各方面和全过程。在全国第二次湿地资源调查成果的基础上，系统编著形成了中国湿地资源系列图书，为新时期我国湿地保护事业奠定了坚实基础。希望本系列图书能够为我国湿地工作者在开展湿地研究、保护与合理利用工作时提供参考和借鉴。

中国科学院院士 陈宜瑜

2015 年 9 月

前言

湿地与森林、海洋并称为全球三大生态系统，具有涵养水源、净化水质、蓄洪防旱、调节气候、维护生物多样性和美化环境等多种生态功能。湿地还为人类的生产、生活提供多种资源，是最重要的生命支持系统之一，与人类的生存、繁衍、发展息息相关。因此，湿地又被誉为“地球之肾”。《湿地公约》所称湿地系指天然或人工，长久或暂时性沼泽地、泥炭地或水域地带，带有静止或流动，淡水或半咸水、咸水水体者，包括低潮时水深不超过 6 米的海域。沼泽、泥炭地、湿草甸、湖泊、河流、滞蓄洪区、河口三角洲、滩涂、水库、池塘、水稻田等均属于湿地范畴。

北京的湿地包括河流、水库、沼泽、池塘、水渠等多种湿地类型，是北京城市生态系统的重要组成部分，承载并发挥着水源涵养与供给、区域气候调节、生物多样性维护、生态文化传承等功能。北京湿地对于维护首都生态平衡，构建宜居城市，发挥着不可替代的作用，是北京城市可持续发展的保证。

根据《国家林业局湿地保护管理中心关于印发〈全国湿地资源调查技术规程（试行）〉的通知》（林湿发〔2008〕265 号）的要求，在国家林业局湿地办和北京市园林绿化局的领导下，在清华大学 3S 研究中心的技术支撑下，第二次全国湿地资源调查北京市湿地资源调查工作，自 2009 年 1 月开始，到 2010 年 6 月结束，历时一年半，圆满完成调查任务。全市共组织调查工作组 26 个，350 多人参加了调查。

调查结果显示，北京的湿地共有 4 类 8 型，总面积 4.81 万公顷（不包括水稻田面积），占全市总面积的 2.93%。

本次调查全面采用“3S”（遥感、地理信息系统、全球定位系统）技术，对湿地进行逐块调查，获取了较为全面、完整和系统的湿地资源信息，并建立了全市湿地资源数据库。本次调查方法科学，组织严密，调查细致，查清了湿地的数量、质量、类型和分布、动植物的种类和分布及环境现状等，了解了湿地资源的动态消长规律，对北京湿地资源进行了较全面、客观的分析评价。调查成果为北京市湿地自然保护区和湿地公园建设、野生动植物资源保护和合理利用提供了完整、准确的基础资料和科学依据。

本次湿地资源调查，培养了一大批湿地资源保护管理人员与专业技术人才，锻炼了队伍，夯实了北京市湿地保护基础工作，将进一步提升北京市湿地保护与管理的水平。同时，也大规模地宣传了湿地的功能及湿地对环境的重要性，提高了人们对湿地的认识。

本书是北京市第二次湿地资源调查的成果结晶，全面系统地阐述了北京市湿地及湿地动植物资源现状，系统分析了北京湿地保护、利用、管理的现状和问题并提出了针对性的建议。本书的出版，对于我国特大城市快速发展背景下的湿地保护与管理具有重要借鉴意义。

《中国湿地资源·北京卷》编辑委员会

2014 年 6 月

目　录

第一章 基本情况

第一节 自然概况

1 地理位置

北京是中华人民共和国的首都，是全国政治和文化中心，是历史悠久的世界著名古都和现代化国际城市。北京地处华北大平原的西北隅，四周除东南面与天津市毗连外，其余均与河北省相邻，东南距渤海 150 公里。地理坐标为东经 115°25′~117°30′，北纬 39°26′~41°04′。北京市土地面积 1.64 万平方公里，其中山地 1.01 万平方公里，占总面积的 61.59%；平原面积 0.63 万平方公里，占总面积的 38.41%。

2 地质地貌

北京地势西北高、东南低，西部、北部和东北部三面环山，东南部是一片缓缓向渤海倾斜的冲积平原。北部山地属燕山山脉东段，呈近东西向延伸，北京范围内通称北山。北山地层以前古生代老变质岩为主。西部山地属太行山山脉的北端，通称西山。东北部山地多为低山丘陵。西山和东北部山区显生宙地层发育状况与华北地台一致，寒武纪至中奥陶纪为海相沉积物，中上石炭纪为海陆交互相煤系地层；自二叠纪开始为陆相地层，中生代岩浆活动较为强烈，花岗岩出露地段，多构成优美的风景区。

3 土 壤

北京市的土壤，受地带性和垂直性因素及地貌和水热条件的影响，从山地到平原的分布，有一定的规律性。从山地到平原，土壤分为山地草甸土、山地棕壤、褐土、潮土、沼泽土、水稻土和风沙土等。山地草甸土一般分布在海拔 1500 米以上的山顶、平缓山坡或山顶局部的洼地；山地棕壤分布在海拔 800 米以上；花岗岩母质在海拔 400~500 米的阴坡也有分布；山地褐色土多分布在海拔 800 米以下。

4 气 候

北京属暖温带半湿润大陆性季风气候，具有四季分明的特点。春季气温回升快，昼夜温差大，干旱多风；夏季高温多雨，7月份平均气温26~27℃，最高气温有时超过40℃，6~8月份降水量占全年70%~80%；秋季天高气爽，日朗月明，是全年最好的时光，但时日很短；冬季寒冷干燥，晴朗少雪，1月份平均气温-4.7℃，降水量占全年2%。

由于地貌的差异，山地和平原年平均气温不一。平原地区年平均气温为11.5℃，浅山区年平均气温为10℃，往西、北部年平均气温逐渐降到8.0℃。无霜期也随着海拔增高而缩短，平原无霜期为180~200天，低山区(海拔800米以下)无霜期为150~180天，中山区(海拔800米以上)一般为90~160天。

水是影响植物生长的重要条件之一。受地形和大陆季风的影响，北京市形成降水量的时空分布不均。一是降水量年际变化大。北京市年平均降水量为630毫米，但年际之间变化大，最丰年(1959年)为1604毫米，最枯年(1869年)为242毫米，二者相差1362毫米，前者为后者的6.6倍，一般干旱年景降水量在500毫米以下，特别干旱年景在300毫米以下。二是丰水年与枯水年交替发生，亦可连续发生，连续出现时间一般为2~3年，个别地区可长达6年。三是年内降水月份分布不均。一般年份汛期(6~9月)降水量约占全年降水量的85%以上，丰水年汛期降水量占90%以上。四是有明显的地区差异。由东南或西南输送来的大量水汽受地形阻挡和抬升作用，将北京市分成3个降水量等级，即降水量700毫米以上地区，550~700毫米地区，550毫米以下地区。降水量700毫米以上的3个高值区均分布在山区，即怀柔区的八道河、房山区漫水河和平谷区的将军关3个地区。北京各时间段年平均降雨量情况见表1-1。

表1-1 北京各时间段年平均降水量统计表

年 度	年平均降水量（毫米）	年 度	年平均降水量（毫米）	年 度	年平均降水量（毫米）
1901~1910	589.70	1951~1960	780.90	1900~2000	611.10
1911~1920	598.90	1961~1970	584.00	1950~2000	622.10
1921~1930	613.80	1971~1980	567.80	1956~1980	629.80
1931~1940	613.50	1981~1990	579.90	1981~2000	574.40
1941~1950	600.70	1991~2000	568.90	2001~2008	434.60

资料来源：北京市气象局。

5 水 文

水资源的主要来源是大气降水，全市年降水总量约为105亿立方米，多雨年可达160亿立方米，少雨年仅有60亿立方米。一般说，降水中约有70%被土壤和植被蒸发，其余一部分通过地表径流汇集到河道中形成地表水，一部分渗入地下转变为地下水。

北京市水系径流由于受降雨控制出现两大特征：一是年内分配极不均匀。径流年内分布主要受年内降水控制。全年最多月份在8月，占全年径流量的30%以上；最少月份在5月，占1%~

3%。7～10月一般占全年径流量的70%以上。按水文年划分，夏季径流量占全年的1/2以上，秋季约占1/4，冬春约占1/4。二是年际变化大。永定河年径流量最大值为最小值的5倍，潮白河为20倍，大石河和拒马河分别为34倍和11倍。河川径流的年际变化除极值相差悬殊外，还有连丰年、连枯年的交替现象。

由于在河流上修建了众多的水库，山区地表径流大部分已被拦蓄。目前，除大清河水系外，山区大部分地表径流已被控制。平原河道除丰水季节外，地表径流已经不多或干枯。北京市内主要河流自20世纪60年代以来，年平均流量逐渐减小。具体情况见表1-2。

表1-2　北京地区主要河流水文站年平均流量对比表（亿立方米/年）

水文站/年度	永定河		潮白河	北运河	蓟运河	大清河	拒马河
	固安站	官厅站	苏庄站	土门楼站	三河站	东茨村站	张坊站
1961～1970	3.03	12.90	10.39	8.77	3.09	5.33	6.50
1971～1980	0.78	8.54	9.33	4.22	2.88	4.12	5.24
1981～1990	0.00	4.06	0.73	1.88	1.96	1.09	2.60
1991～2000	0.20	4.03	1.32	0.49	2.10	2.03	2.97
多年平均值	0.95	7.54	5.44	3.84	2.51	3.14	4.33

资料来源：北京市水务局。

5.1　水　系

北京市境内分布着大小河流100多条，分属于海河流域的永定河、潮白河、北运河、大清河和蓟运河五大水系，总长2700公里。其中，北运河水系发源于北京市，其余四个水系为发源于河北省或山西省的过境河流，绝大部分河流由西北向东南，在天津注入渤海。

5.1.1　永定河水系

永定河全长650公里，北京市境内长为165.50公里，流经延庆县、门头沟区、石景山区、丰台区、房山区、大兴区、海淀区、昌平区8个区(县)。其上游水土流失严重，是北京的多泥沙河流之一；官厅水库至三家店之间称中游段，为中山峡谷区，水资源丰富；下游段流入平原区，流速变小。永定河在北京境内的流域面积为31.20万公顷，占全市土地总面积的19.01%，其中，山区面积为19.12万公顷，占流域面积的61.28%；平原为12.08万公顷，占流域面积的38.72%。永定河水系年均径流量为3.41亿立方米，其中山区2.92亿立方米，占86%，平原为0.49亿立方米，占14%。在下游，由于河床渗透性强，加之中上游水库的拦蓄，因此在平水年成为干河。

5.1.2　潮白河水系

潮白河是北京市第二大河，自北向南贯穿北京的东部，其上游是潮河与白河。潮白河在北京市境内总长83公里，流经密云县、怀柔区、顺义区、通州区、延庆县、昌平区6个区(县)。潮白河及其怀沙河、怀九河等支流组成潮白河水系。境内流域面积为55.58万公顷，占全市土地总面积的33.87%，其中，山区面积46.41万公顷，占流域面积的83.50%；平原面积9.17万公顷，占流域面积的16.50%。年均径流量10.22亿立方米，占全市水系总径流量的39.4%。两项均居全市首位。新中国成立后，在这一水系上修建了密云水库、怀柔水库2座大型水库和5座中型水库、33座小型水库，总库容46.69亿立方米。以密云水库为引水源，通向市区的京密引水渠为北京市供水主动脉。由于连续干旱、水库的拦蓄和过量开采地下水，使潮白河地区地下水位严重下降，导致生态环境恶化，密云水库以下河道断流，几乎成为干河。

5.1.3 北运河水系

北运河水系以通州北关闸为界，以上称温榆河，以下称北运河。北运河是公元7世纪初隋朝时，由人工开凿的南北大运河的最北段，在历史上，与北京的经济生活曾有过密切的关系。流域范围涉及通州区、昌平区、顺义区、朝阳区、怀柔区、海淀区、东城区、西城区、石景山区、大兴区、丰台区11个区。北运河水系在北京的流域面积为41.88万公顷，占全市土地总面积的25.52%。其中山区9.31万公顷，占流域面积的22.23%；平原32.56万公顷，占流域面积的77.75%，为各流域平原面积之首。北运河水系年均径流量为6.30亿立方米，占全市水系总径流量的24.30%，其中山区径流量为1.52亿立方米，占流域径流量的24.30%；平原为4.78亿立方米，占75.70%。平原径流量是山区的3.1倍。

5.1.4 大清河水系

大清河水系在北京境内属北支，流经房山区、丰台区、门头沟区3个区，有拒马河、大石河、小清河3条支流，其中以拒马河为最大。大清河水系在境内流域面积为21.86万公顷，占全市土地总面积的13.32%，其中山区面积15.36万公顷，占流域面积的70.27%；平原面积6.50万公顷，占流域面积的29.73%。大清河水系径流量为3.75亿立方米，其中山区为3.10亿立方米，占流域径流量的83%，平原为0.65亿立方米，占17%。山区径流量是平原的4.8倍。拒马河水量丰沛、水质较好，是北京清洁地表水源之一。

5.1.5 蓟运河水系

蓟运河水系流经平谷区、顺义区、密云县3个区(县)，流域面积13.58万公顷，占全市总面积的8.27%。其中，山区面积约7.96万公顷，占流域面积的58.62%；平原面积5.62万公顷，占流域面积的41.38%，是境内流域面积最小的水系。蓟运河水系径流量为2.30亿立方米，其中山区为1.61亿立方米，占水系径流量的70%；平原为0.69亿立方米，占30%。

5.2 水　库

据有关资料，北京市在册的大、中、小型水库82座，总库容量约95亿立方米。其中大型水库包括密云水库、官厅水库、怀柔水库、海子水库4座，中型水库包括斋堂水库、十三陵水库等17座，小型水库61座。

5.2.1 密云水库

密云水库位于北京东北密云县境内，横截潮、白两河，坐落于燕山群峰之中，1960年9月建成。按千年一遇洪水设计，洪峰流量16500立方米/秒，设计最大库容43.75亿立方米，最大水深60米，最高水位水域面积1.88万公顷；正常蓄水水位157.50米，相应水位水域面积1.77万公顷，上游控制流域面积为157.88万公顷，占潮白河总流域面积的88%。现已成为首都最重要的地表水源。密云水库是北京市唯一列入《国家湿地保护行动计划》附录1《中国重要湿地名录》的湿地。

5.2.2　官厅水库

官厅水库位于北京西北约 80 公里永定河官厅山峡入口处，横亘于怀来和延庆两县腹地。1951 年 10 月动工，1954 年 5 月竣工，建成时库容为 22.70 亿立方米，20 世纪 80 年代对水库大坝进行了加高、加固处理，库容增至 41.60 亿立方米，设计防洪标准为千年一遇洪水，设计洪水水位 484.84 米，正常蓄水水位 479 米，相应水位水域面积 1.63 万公顷。控制上游流域面积 434.02 万公顷，占永定河流域的 93%。官厅水库是北京市水源地之一，通过永定河，将水引入北京、河北地区，截至 2003 年年底累计供水 401 亿立方米。

5.2.3　怀柔水库

怀柔水库位于北京市怀柔区城西侧，潮白河支流怀九河与怀沙河交汇处。怀柔水库于 1958 年建成，设计最大库容 1.44 亿立方米，最高水位水域面积 0.13 万公顷，控制流域面积 5.25 万公顷。是北京市域内的第三大水库，是密云水库向市区供水的调节水库和重要水源地。

5.2.4　海子水库

海子水库位于平谷区城东部金海湖地区的洵河山峡出口处。1960 年 10 月建成，1968 年和 1974 ~ 1982 年进行续建和扩建。最大库容量 1.21 亿立方米，最高水位 118.03 米，最高水位水域面积 0.07 万公顷；正常水位 114.50 米，正常水位水域面积 0.06 万公顷。控制流域面积 4.43 万公顷。是北京市的 4 座大型水库之一，已列入北京市地表水源保护地。

5.2.5　中小型水库

除以上 4 座大型水库外，全市共有中小型水库 78 座，库容量约 7 亿立方米。其中中型水库 17 座，库容量约 5.40 亿立方米；小型水库 61 座，库容量约 1.60 亿立方米。

6　动植物概况

6.1　植物概况

北京受暖温带大陆性季风气候的影响，形成的地带性植被类型为暖温带落叶阔叶林，由于境内地形复杂，生态环境多样化，因而植被种类组成丰富，区系成分比较复杂、类型多样，次生植物群落占优势，山地植被具有明显的垂直分布。

从植被现状看，山地植被垂直分布可分为低山落叶阔叶灌丛和灌草丛带、中山下部松栎林带、中山上部桦树林带和山顶草甸带 4 个带。山坡坡向的不同引起阴、阳坡水热条件的差异也是影响山地植被分布的重要因素。山间盆地及沟谷地带生长有杨、柳、榆、桑、核桃楸、板栗等。在山涧河流、库塘等地发育着湿生和水生植物。大部分平原地区已成为农田和城镇，只在河岸两旁局部洼地发育着以芦苇、香蒲、慈姑等为主的湿生植被，但多数洼地已被开辟为鱼塘。在撂荒地及田埂、路旁多杂草，水塘中发育着沉水、浮叶的水生植被。根据《北京植物志》和《北京植物检索表》统计，北京地区有维管束植物 169 科 898 属 2088 种(包括栽培植物)，其中蕨类植物 20 科 30 属 75 种，裸子植物 9 科 18 属 37 种，被子植物 140 科 821 属 1944 种。

6.2　动物概况

北京的动物种类有属于蒙新区东部草原、长白山地、松辽平原的种类成分，也有东洋界季风区、长江南北的动物种类成分，故北京的动物种类有由古北界向东洋界过渡的动物种类特征。根据《北京脊椎动物检索表》(高武等，1994)统计，北京分布有脊椎动物105科520种，其中兽类18科57种，鸟类58科350种，爬行动物8科22种，两栖动物5科10种，鱼类16科81种。

第二节 社会经济状况

1 行政区划、人口、民族

2009年年末，北京辖16个区、2个县①，共有街道办事处135个，建制乡镇182个(其中建制镇142个、建制乡40个)，社区居委会2609个，村民委员会3951个。在户籍人口中，共有481.20万户，其中非农业户口363.90万户，农业户口117.30万户。

全市常住(在京居住半年以上)人口1755万人，其中，外来人口509.20万人，占常住人口的比重为29%。常住人口中，城镇人口1491.80万人，占常住人口的85%。全市户籍人口1245.80万人，占常住人口的71%。全市常住人口密度为1069人/平方公里。北京市人口中有汉、回、满、蒙古等民族，其中汉族人口所占的比重最大。

2 经济发展及工农业生产情况

2009年全市实现地区生产总值11865.90亿元，比上年增长10.10%，增速比上年提高1个百分点。其中，第一产业增加值118.30亿元，增长4.60%；第二产业增加值2743.10亿元，增长9.70%；第三产业增加值9004.50亿元，增长10.30%。按常住人口计算，全市人均GDP达到68788元(按年平均汇率折合10070美元)，比上年增长6.20%。全年实现农业增加值118.30亿元，比上年增长4.60%。粮食播种面积22.60万公顷，与上年持平；粮食产量124.80万吨，比上年下降0.50%。全年完成工业增加值2191亿元，比上年增长8.80%，增幅比上年提高8.6个百分点。其中，规模以上工业企业增加值增长9.10%。在规模以上工业中，高技术制造业、现代制造业增加值分别增长3.70%和11.10%。实现规模以上工业销售产值10699.20亿元，比上年增长3.20%。其中内销产值9190.08亿元，增长7.10%；出口交货值1508.50亿元，下降15.20%。产品销售率为99.04%。

---

① 2010年7月，撤消崇文区、东城区，设立新的东城区；撤消宣武区、西城区，设立新的西城区。本书的区县湿地资源统计以2010年7月北京市的16个区(县)来划分。

第二章 湿地类型

第一节 湿地类型与面积

北京的气候为暖温带半湿润大陆性季风气候。地势西北高，东南低，地貌复杂多样，构成了北京独特的湿地生态景观。

调查表明，北京湿地总面积 4.81 万公顷(不包括水稻田湿地)，占全市总面积的 2.93%。包括河流湿地、湖泊湿地、沼泽湿地和人工湿地 4 个湿地类，及永久性河流湿地、季节性或间歇性河流湿地、洪泛平原湿地、永久性淡水湖湿地、草本沼泽湿地、库塘湿地、运河/输水河湿地、水产养殖场湿地 8 个湿地型。北京市湿地资源分布情况如图 2-1。湿地各类型、面积及所占比重等，见表 2-1、图 2-2。根据 2009 年北京市农业部门统计资料，北京市还有水稻田湿地 0.04 万公顷，本次调查不作统计。

表 2-1　北京市各湿地类型面积统计表

湿 地 类	湿 地 型	湿地面积(公顷)	比重(%)	斑块数量
合　计		48071.64	100	661
河流湿地	小　计	22707.53	47.24	219
	永久性河流	3745.09	7.79	30
	季节性或间歇性河流	13858.10	28.83	175
	洪泛平原湿地	5104.34	10.62	14
湖泊湿地	小　计	199.65	0.41	1
	永久性淡水湖	199.65	0.41	1
沼泽湿地	小　计	1246.61	2.59	3
	草本沼泽	1246.61	2.59	3
人工湿地	小　计	23917.85	49.76	438
	库塘	18761.84	39.03	180
	运河/输水河	1960.21	4.08	88
	水产养殖场	3195.80	6.65	170

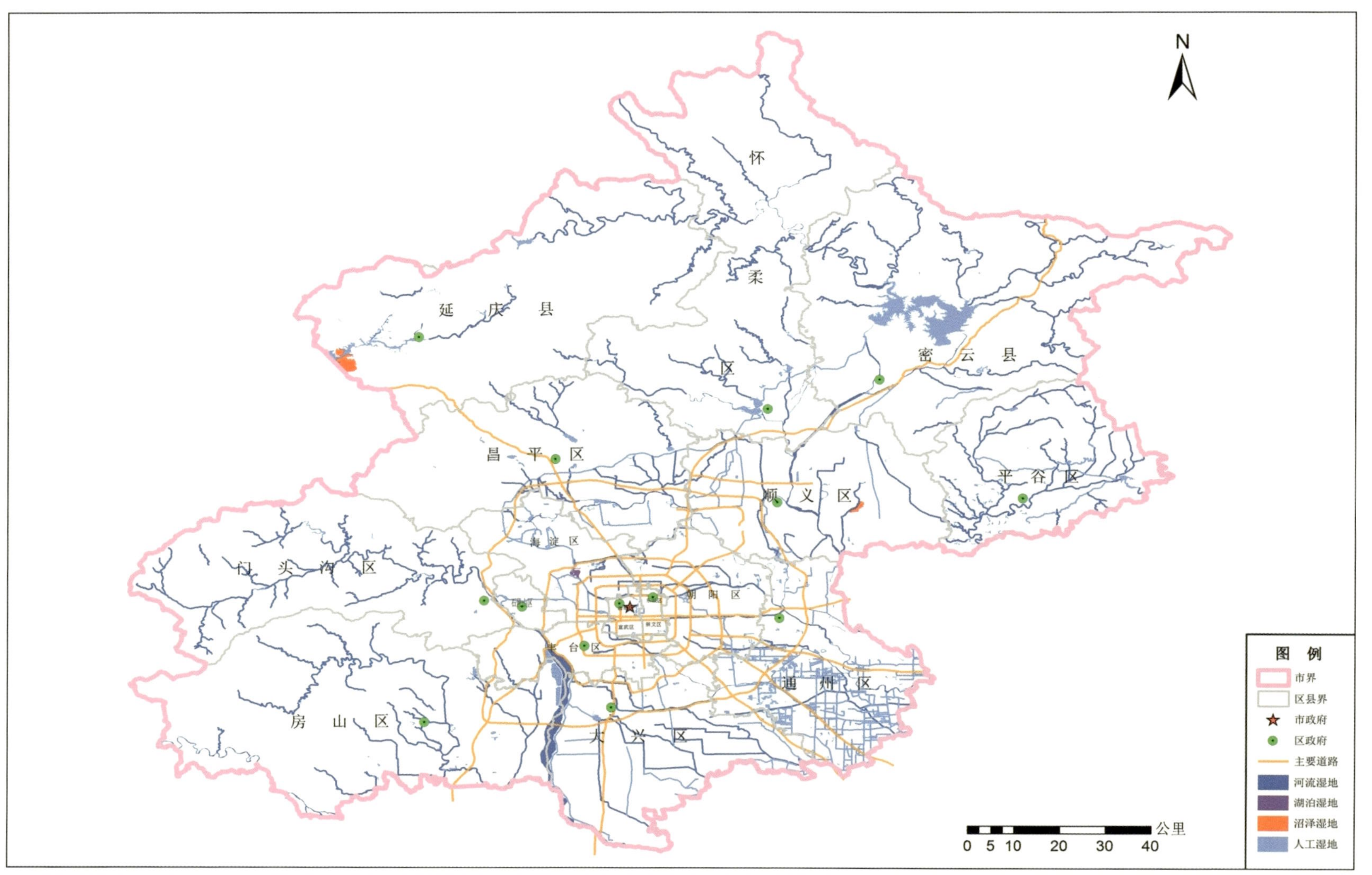

图 2-1 北京市湿地资源分布图

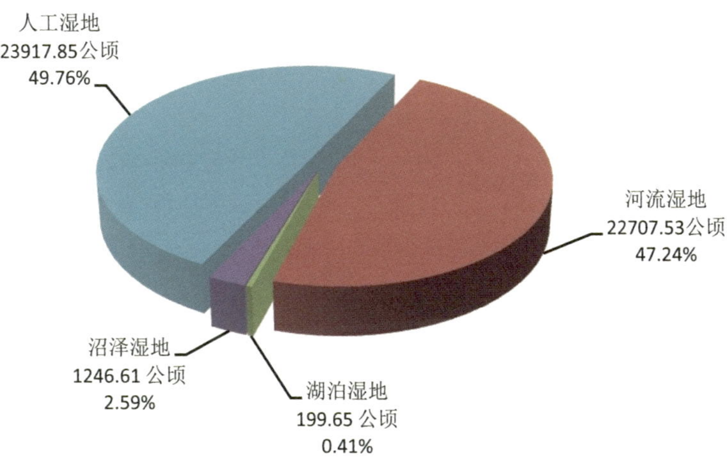

图 **2-2**　北京市各湿地类型面积及比例

1　河流湿地

由表 2-1 可知，北京河流湿地 2.27 万公顷，占湿地总面积的 47.24%，是第二大湿地类。包括永久性河流湿地、季节性或间歇性河流湿地、洪泛平原湿地 3 个湿地型。其中，季节性或间歇性河流湿地面积最大，为 1.39 万公顷，占河流湿地面积的 61.03%；洪泛平原湿地次之，面积 5104.34 公顷，占 22.48%；永久性河流湿地（图 2-3）3745.09 公顷，占 16.49%，如图 2-4。

图 **2-3**　永久性河流湿地——密云水库上游潮河

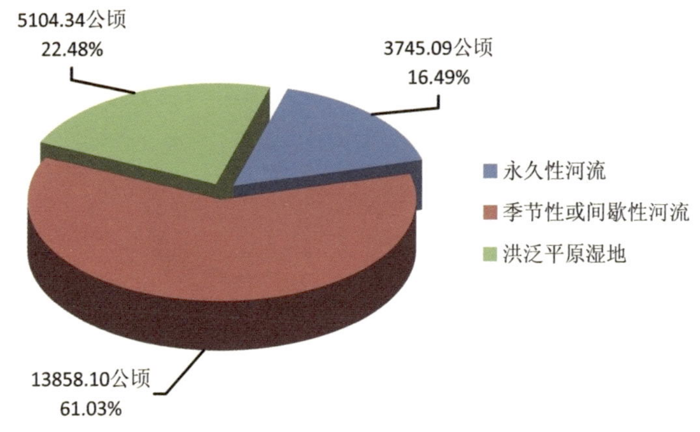

图 **2-4**　北京市河流湿地面积及比例

2　湖泊湿地

调查显示，昆明湖是北京地区仅存的湖泊湿地，为永久性淡水湖泊湿地型，后经人工改造形成今日面貌(图 2-5)，面积 199. 65 公顷，占湿地总面积的 0. 41%，是北京最小的一个湿地类。

图 **2-5**　永久性淡水湖泊湿地——昆明湖

历史上的北京水源充足，河网密布，天然湖泊星罗棋布。辽金时期，在今通州区南部，曾是一个方圆数百里的湖泊——延芳淀。淀中水禽成群，菱芡、芦苇丛生。随着时间推移，北京地区的环境发生了很大的变化，地下水位也不断降低，自然水面不断减少，原有的天然湖泊几乎消失殆尽。

昆明湖曾是永定河的河床。西周时期，永定河向南摆动，昆明湖一带地势低洼，成为地下水溢出带，聚水成湖。到了元代，该湖称瓮山泊，它接纳了由白浮泉引来的水，形成白浮泉的一个蓄水池。明初，瓮山泊改名西湖，又叫七里泊、大泊湖。清代乾隆年间为开辟皇家园林和接济漕运，将西湖大加开浚，增筑东堤，并将西湖改称昆明湖。

3 沼泽湿地

调查显示，北京地区的沼泽湿地，仅有草本沼泽 1 个湿地型，面积 1246.61 公顷，占湿地总面积的 2.59%。由此可见，当今的北京沼泽湿地分布较少。而沼泽湿地又是北京湿地中生物多样性最为丰富的一种湿地类型，水生、中生、湿生植物齐备，鹤、鹳、雁、鸭类等珍稀水禽和鹰、隼类等树栖鸟类在这里得到保护。汉石桥湿地是最典型的草本沼泽湿地(图 2-6)。

图 **2-6** 草本沼泽湿地——汉石桥湿地

4 人工湿地

人工湿地是北京最大的湿地类，面积 2.39 万公顷，占湿地总面积的 49.76%，主要有库塘湿地、运河/输水河湿地、水产养殖场湿地 3 个湿地型。其中，库塘湿地(图 2-7)面积最大，为 1.88 万公顷，占人工湿地的 78.44%；水产养殖场湿地 3195.80 公顷，占 13.36%；运河/输水河湿地(图 2-8)1960.21 公顷，占 8.20%。人工湿地各湿地型面积、所占比重如图 2-9。

图 **2-7** 库塘湿地——密云水库

图 **2-8** 运河/输水河湿地——京密引水渠

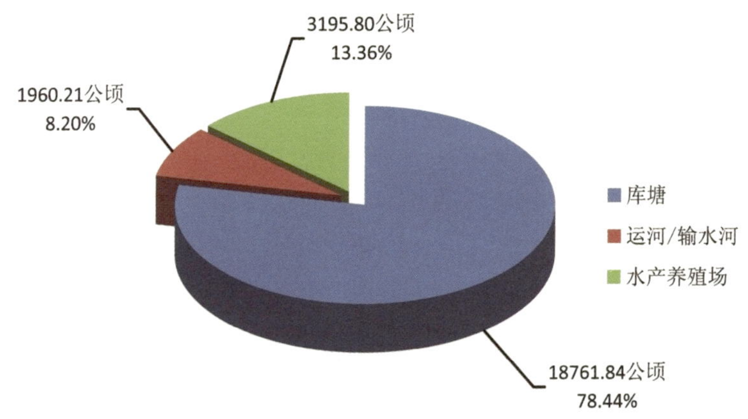

图 **2-9** 北京市人工湿地面积及比例

第二节 湿地的分布规律

北京湿地的分布规律与其境内的河流分布密不可分。从山区到平原是以永定河、潮白河、北运河与大清河及蓟运河五大水系的河流湿地为骨架，串联着人工修建的数十座库塘型湿地，形成五大湿地带。河流、水库与城市景观"湖泊"之间由运河/输水河相连，水产养殖场等人工湿地以及沼泽湿地分布星罗棋布。总体来说，山区湿地少，平原湿地多。山区以河流湿地、人工湿地为主，平原则各个湿地型均有分布。

1　各湿地类型分布

1.1　河流湿地分布

北京分布着大小河流100余条，它们分属于海河流域的永定河、潮白河、北运河、大清河及蓟运河五大水系，总流向自西北流向东南。河流湿地遍布全市域，是北京湿地的重要组成部分。

在2.27万公顷河流湿地中，永定河水系湿地面积最大，面积为8495.40公顷，占河流湿地总面积的37.41%；其次是潮白河水系，湿地面积为6348.06公顷，占河流湿地总面积的27.96%；蓟运河水系湿地面积最小，为1446.08公顷，占河流湿地总面积的6.37%。各型河流湿地在五大水系分布情况见表2-2。

表2-2　各型河流湿地在五大水系分布面积统计表

水系名称	湿地型	湿地面积（公顷）	占河流湿地比重(%)	占水系河流湿地比重(%)	各水系分布的主要河流
合　计	总　计	22707.53	100		
	永久性河流	3745.09	16.49		
	季节性或间歇性河流	13858.10	61.03		
	洪泛平原湿地	5104.34	22.48		
永定河	小　计	8495.40	37.41	100	永定河、清水河、妫水河、古城河、新华营河、蔡家河、天堂河、大龙河、小龙河等
	永久性河流	165.71	7.30	1.95	
	季节性或间歇性河流	3496.49	15.40	41.16	
	洪泛平原湿地	4833.20	21.28	56.89	
潮白河	小　计	6348.06	27.96	100	潮白河、潮河、白河、黑河、天河、汤河、牤牛河、白马关河、安达木河、清水河、沙河、怀沙河、怀九河、箭杆河、小东河等
	永久性河流	1487.72	6.55	23.44	
	季节性或间歇性河流	4589.20	20.21	72.29	
	洪泛平原湿地	271.14	1.19	4.27	
北运河	小　计	4454.76	19.62	100	北运河、温榆河、清河、坝河、通惠河、凉水河、莲花河、北小河、东沙河、北沙河、南沙河、小中河、凤河、萧太后河、马草河、小月河、新凤河、凤港减河等
	永久性河流	1272.23	5.60	28.56	
	季节性或间歇性河流	3182.53	14.02	71.44	
	洪泛平原湿地				
大清河	小　计	1963.23	8.65	100	拒马河、大石河、小清河、周口店河、夹括河、马刨泉河、小清河、东沙河、南泉水河、北泉水河、牤牛河、刺猬河等
	永久性河流	819.43	3.61	41.74	
	季节性或间歇性河流	1143.80	5.04	58.26	
	洪泛平原湿地				
蓟运河	小　计	1446.08	6.37	100	泃河、洳河、将军关石河、黄松峪石河、镇罗营石河、熊儿寨石河、金鸡河、鱼子山石河、北寨石河等
	永久性河流				
	季节性或间歇性河流	1446.08	6.37	100	
	洪泛平原湿地				

1.1.1 河流湿地在五大水系的分布

由表2-2可以看出，五大水系中，永久性河流湿地共3745.09公顷，仅蓟运河水系无分布，其中潮白河水系永久性河流湿地分布面积最大，为1487.72公顷，占永久性河流湿地面积的39.72%；北运河水系永久性河流湿地分布1272.23公顷，占33.97%；大清河水系永久性河流湿地分布819.43公顷，占21.88%；永定河水系永久性河流湿地分布165.71公顷，占4.43%。

季节性或间歇性河流湿地1.39万公顷，在五大水系均有分布，其中，潮白河水系分布面积最大，为4589.20公顷，占季节性或间歇性河流湿地面积的33.12%；永定河水系分布3496.49公顷，占25.23%；北运河水系分布3182.53公顷，占22.97%；蓟运河水系分布1446.08公顷，占10.43%；大清河水系分布最少，仅1143.80公顷，占8.25%。

洪泛平原湿地5104.34公顷，主要分布在永定河水系，面积4833.20公顷，占洪泛平原湿地面积的94.69%；潮白河水系分布271.14公顷，仅占5.31%。

1.1.2 河流湿地按五大水系在各区县的分布

北京的五大水系仅有北运河水系发源于北京境内，其余均发源于境外，属过境河流。各水系河流湿地在市域各区县的分布情况如下。

永定河水系在北京境内流域面积31.20万公顷，占全市面积的19.01%，流经门头沟、延庆、大兴、房山、丰台、昌平、石景山和海淀8个区(县)，共6个区分布有河流湿地，面积8495.40公顷，其中，大兴区分布3322.49公顷，占永定河水系河流湿地的39.11%；门头沟区分布2180.70公顷，占永定河水系河流湿地的25.67%；石景山区分布最少，，430.15公顷，占5.06%。

潮白河水系在北京境内流域面积55.58万公顷，占全市面积的33.87%，流经密云、怀柔、延庆、顺义、通州等6个区(县)，共5个区(县)分布有河流湿地，面积63480.06公顷，其中，密云县分布河流湿地面积最大为2171.27公顷，占潮白河水系河流湿地面积的34.20%；怀柔区次之，为2024.76公顷，占31.90%；延庆县河流湿地面积最小，为342.69公顷，占5.40%。

北运河水系流域面积41.88万公顷，占全市面积的25.52%，流经的区县最多，有通州、昌平、海淀、顺义、朝阳、怀柔、大兴、丰台、石景山、东城、西城11个区，共8个区分布有河流湿地，面积4454.76公顷，其中通州区河流湿地面积最大，为1531.19公顷，占北运河水系河流湿地面积的34.37%；昌平区的河流湿地面积次之，1138.42公顷，占25.56%；西城区河流湿地面积最小，为22.96公顷，仅占0.52%。

大清河水系流域面积21.86万公顷，占全市面积的13.32%，在北京流经房山、丰台和门头沟3个区，河流湿地面积1963.23公顷，其中房山区1933.81公顷，占大清河水系河流湿地面积的98.50%，丰台区29.42公顷，占1.50%。

蓟运河水系流域面积13.58万公顷，占全市面积的8.27%，在北京流经平谷、密云、顺义3个区(县)，河流湿地面积1446.08公顷，其中平谷区河流湿地面积最大，为1354.76公顷，占蓟运河水系河流湿地面积的93.68%；顺义区河流湿地面积71.27公顷，占4.94%；密云县河流湿地面积20.05公顷，占1.38%。各型河流湿地按水系在各区县的具体分布情况，见表2-3。

表 2-3 各型河流湿地按水系在各区县分布面积统计表

水系名称	流经区(县)	河流湿地面积(公顷)	占各水系河流湿地面积比重(%)	各型河流湿地		
				永久性河流(公顷)	季节性或间歇性河流(公顷)	洪泛平原湿地(公顷)
合 计	22707.53			3745.09	13858.10	5104.34
永定河	小 计	8495.40	100	165.71	3496.49	4833.20
	大兴区	3322.49	39.11		480.20	2842.29
	门头沟区	2180.70	25.67	122.20	2058.50	
	房山区	1461.21	17.20		178.31	1282.90
	丰台区	874.73	10.30		166.72	708.01
	石景山区	430.15	5.06		430.15	
	延庆县	226.12	2.66	43.51	182.61	
	昌平区					
	海淀区					
潮白河	小 计	6348.06	100	1487.72	4589.20	271.14
	密云县	2171.27	34.20	769.78	1187.19	214.30
	怀柔区	2024.76	31.90	532.97	1491.79	
	顺义区	1224.19	19.28		1224.19	
	通州区	585.15	9.22		528.31	56.84
	延庆县	342.69	5.40	184.97	157.72	
	昌平区					
北运河	小 计	4454.76	100	1272.23	3182.53	
	通州区	1531.19	34.37	330.34	1200.85	
	昌平区	1138.42	25.56	449.86	688.56	
	朝阳区	736.97	16.54	317.96	419.01	
	大兴区	355.89	7.99	78.12	277.77	
	海淀区	311.99	7.00		311.99	
	顺义区	281.95	6.33	40.46	241.49	
	丰台区	75.39	1.69	55.49	19.90	
	西城区	22.96	0.52		22.96	
	东城区					
	怀柔区					
	石景山区					
大清河	小 计	1963.23	100	819.43	1143.80	
	房山区	1933.81	98.50	819.43	1114.38	
	丰台区	29.42	1.50		29.42	
	门头沟区					
蓟运河	小 计	1446.08	100		1446.08	
	平谷区	1354.76	93.68		1354.76	
	顺义区	71.27	4.94		71.27	
	密云县	20.05	1.38		20.05	

1.1.3 河流湿地在各区县的分布

北京16个区(县)，除东城区外均有河流湿地分布，其中大兴区河流湿地面积最大，为3678.38公顷，占河流湿地面积的16.20%；其次是房山区河流湿地面积3395.02公顷，占河流湿地面积的14.95%；第三是密云县河流湿地面积2191.32公顷，占河流湿地面积的9.65%；西城区河流湿地面积最小，为22.96公顷，仅占河流湿地面积的0.10%。

从各型湿地在区县的分布看，也不均衡。大兴、房山、通州、丰台4个区分布着全部3个河流湿地型；密云、门头沟、昌平等11个区(县)分布有永久性河流和季节性或间歇性河流2个湿地型；平谷、石景山等4个区仅分布季节性或间歇性河流1个湿地型。也就是说，永久性河流湿地分布在11个区(县)，季节性或间歇性河流湿地分布在15个区(县)，洪泛平原湿地仅分布在5个区(县)，见表2-4。

表2-4 各型河流湿地在各区县分布面积统计表

区(县)名称	河流湿地面积(公顷)	比重(%)	各型河流湿地					
			永久性河流		季节性或间歇性河流		洪泛平原湿地	
			面积(公顷)	比重(%)	面积(公顷)	比重(%)	面积(公顷)	比重(%)
合　计	22707.53	100	3745.09	16.49	13858.10	61.03	5104.34	22.48
大兴区	3678.38	16.20	78.12	2.09	757.97	5.47	2842.29	55.68
房山区	3395.02	14.95	819.43	21.88	1292.69	9.33	1282.90	25.13
密云县	2191.32	9.65	769.78	20.55	1207.24	8.71	214.30	4.20
门头沟区	2180.70	9.60	122.20	3.26	2058.50	14.85		
通州区	2116.34	9.32	330.34	8.82	1729.16	12.48	56.84	1.11
怀柔区	2024.76	8.92	532.97	14.23	1491.79	10.76		
顺义区	1577.41	6.95	40.46	1.08	1536.95	11.09		
平谷区	1354.76	5.97			1354.76	9.78		
昌平区	1138.42	5.01	449.86	12.01	688.56	4.97		
丰台区	979.54	4.31	55.49	1.48	216.04	1.56	708.01	13.87
朝阳区	736.97	3.25	317.96	8.49	419.01	3.02		
延庆县	568.81	2.50	228.48	6.10	340.33	2.46		
石景山区	430.15	1.89			430.15	3.10		
海淀区	311.99	1.37			311.99	2.25		
西城区	22.96	0.10			22.96	0.17		

1.2 湖泊湿地分布

调查结果表明，湖泊湿地是北京最小的一个湿地类，且仅有永久性淡水湖1个湿地型，面积199.65公顷，占湿地总面积的0.41%。分布在北运河水系的海淀区，即颐和园的昆明湖湿地。

1.3　沼泽湿地分布

调查结果显示，沼泽湿地，只有草本沼泽1个湿地型，面积1246.61公顷，占湿地总面积的2.59%。主要分布在永定河水系延庆县的野鸭湖和潮白河水系顺义区的汉石桥，野鸭湖草本沼泽湿地1009.10公顷，占沼泽湿地面积的80.95%，汉石桥草本沼泽湿地237.51公顷，占沼泽湿地面积的19.05%。

1.4　人工湿地分布

人工湿地的分布规律亦与境内的水系分布密不可分，北京五大水系的分布现状，受水系的流域面积、地貌的影响较大，但在水系中各区县的分布情况，在受上述因素影响的同时，还受所在区县社会经济发展等综合因素的影响。因此人工各型湿地在各个水系、区县的分布差异较大。

人工湿地是北京最大的湿地类，面积2.39万公顷，占湿地总面积的49.76%。主要有库塘、运河/输水河、水产养殖场3个湿地型。

1.4.1　各型人工湿地在五大水系的分布

在2.39万公顷人工湿地中，潮白河水系分布最多，面积1.08万公顷，占全市人工湿地面积的45.07%，其中，库塘湿地9224.78公顷，是五大水系中面积最大的湿地型，占水系人工湿地面积的85.57%，占全市库塘湿地面积的49.17%；运河/输水河湿地1226.82公顷，占水系人工湿地面积的11.38%；水产养殖场湿地328.68公顷，占水系人工湿地面积的3.05%。

北运河水系人工湿地分布仅次于潮白河水系，面积7610.23公顷，占全市人工湿地面积的31.82%，其中，库塘湿地4270.52公顷，占水系人工湿地面积的56.12%；运河/输水河湿地1563.70公顷，占水系人工湿地面积的20.55%，占全市运河/输水河湿地面积的79.77%；水产养殖场湿地1776.01公顷，占水系人工湿地面积的23.34%，占全市水产养殖场型湿地面积的55.57%。北运河水系是运河/输水河型湿地和水产养殖场型湿地最多的水系。

永定河水系分布人工湿地3442.52公顷，占人工湿地面积的14.39%，其中，库塘湿地3094.73公顷，占水系人工湿地面积的89.90%；运河/输水河湿地152.23公顷，占水系人工湿地面积的4.42%；水产养殖场湿地195.56公顷，占水系人工湿地面积的5.68%。

蓟运河水系分布人工湿地1420.71公顷，占人工湿地面积的5.94%，其中，库塘湿地522.65公顷，占水系人工湿地面积的36.79%；运河/输水河湿地75.46公顷，占水系人工湿地面积的5.31%；水产养殖场湿地822.60公顷，占水系人工湿地面积的57.90%。

大清河水系仅分布人工湿地664.11公顷，占人工湿地面积的2.78%，其中，库塘湿地547.31公顷，占水系人工湿地面积的82.41%；水产养殖场湿地116.80公顷，占水系人工湿地面积的17.59%。

各型人工湿地在五大水系分布情况见表2-5。

1.4.2　各型人工湿地按水系在各区县的分布

由表2-6可知，潮白河水系是北京流域面积最大的水系，流经6个区(县)，5个区(县)分布有人工湿地，密云县人工湿地面积最大，为8804.24公顷，占水系人工湿地面积的81.67%，其中库塘湿地8713.06公顷，占密云县人工湿地的98.96%；怀柔区人工湿地面积次之，为1145.70公

表2-5 各型人工湿地在五大水系分布面积统计表

水系名称	湿地型	湿地面积（公顷）	占人工湿地比重（%）	占水系人工湿地比重（%）	各水系分布的主要河流
合 计	总 计	23917.85	100		
	库塘	18761.84	78.44		
	运河/输水河	1960.21	8.20		
	水产养殖场	3195.80	13.36		
永定河	小 计	3442.52	14.39	100	永定河、清水河、妫水河、古城河、新华营河、蔡家河、天堂河、大龙河、小龙河等
	库塘	3094.73	12.94	89.90	
	运河/输水河	152.23	0.64	4.42	
	水产养殖场	195.56	0.82	5.68	
潮白河	小 计	10780.28	45.07	100	潮白河、潮河、白河、黑河、天河、汤河、牤牛河、白马关河、安达木河、清水河、沙河、怀沙河、怀九河、箭杆河、小东河等
	库塘	9224.78	38.57	85.57	
	运河/输水河	1226.82	5.13	11.38	
	水产养殖场	328.68	1.37	3.05	
北运河	小 计	7610.23	31.82	100	北运河、温榆河、清河、坝河、通惠河、凉水河、莲花河、北小河、东沙河、北沙河、南沙河、小中河、凤河、萧太后河、马草河、小月河、新凤河、凤港减河等
	库塘	4270.52	17.85	56.12	
	运河/输水河	1563.70	6.54	20.55	
	水产养殖场	1776.01	7.43	23.34	
大清河	小 计	664.11	2.78	100	拒马河、大石河、小清河、周口店河、夹括河、马刨泉河、小清河、东沙河、南泉水河、北泉水河、牤牛河、刺猬河等
	库塘	547.31	2.29	82.41	
	运河/输水河				
	水产养殖场	116.80	0.49	17.59	
蓟运河	小 计	1420.71	5.94	100	泃河、洳河、将军关石河、黄松峪石河、镇罗营石河、熊儿寨石河、金鸡河、鱼子山石河、北寨石河等
	库塘	522.65	2.19	36.79	
	运河/输水河	75.46	0.32	5.31	
	水产养殖场	822.60	3.44	57.90	

顷，占水系人工湿地的10.63%，其中运河/输水河湿地1101.85公顷，占怀柔区人工湿地面积的93.38%；潮白河水系水产养殖场湿地主要分布在顺义区，面积230.56公顷，占水系该型湿地面积的80.94%。

北运河是发源于北京境内的唯一水系，也是流经区县最多的水系，流域面积仅次于潮白河水系，各型湿地在区县的分布较其他水系相对均衡。通州区在水系中人工湿地面积最多，为3793.40公顷，占水系人工湿地面积的49.85%，其中库塘湿地1901.38公顷，占水系库塘湿地面积的44.52%，占通州区北运河水系人工湿地面积的50.12%；水产养殖场型湿地1168.57公顷，占通州区北运河水系人工湿地面积的30.81%；运河/输水河湿地723.45公顷，占通州区北运河水系人工湿地面积的19.07%。昌平区在北运河水系中人工湿地面积1286.14公顷，占水系人工湿地面积的 16.90%，主要为库塘湿地，面积 905.21 公顷，占昌平区北运河水系人工湿地面积的 70.38%。其他区县人工湿地的分布较少，朝阳、海淀、顺义等 5 个区(县)均在千公顷以下，怀柔、石景山等 4 个区(县)均在百公顷以下。

永定河水系在北京境内流经的 8 个区(县)中，有 6 个区(县)分布有人工湿地，且均有库塘湿地，仅有大兴和丰台两区有运河/输水河湿地，仅延庆县有水产养殖湿地。其中延庆县人工湿地面积最大，为 1424.47 公顷，占水系人工湿地面积的 41.38%，其中库塘湿地 1228.91 公顷，占延庆县永定河水系人工湿地面积的 86.27%，水产养殖场湿地 195.56 公顷，占 13.73%；房山区次之，人工湿地面积 1034.25 公顷，均为库塘湿地，占水系人工湿地面积的 30.04%；石景山区人工湿地面积仅有 21.64 公顷，均为库塘湿地，占水系人工湿地面积的 0.63%。

大清河水系在北京流经房山、丰台、门头沟 3 个区，仅房山区分布有人工湿地，面积 664.11 公顷，其中库塘湿地 547.31 公顷，占水系人工湿地面积的 82.41%；水产养殖湿地 116.80 公顷，占水系人工湿地面积的 17.59%。

蓟运河水系流经平谷、密云、顺义 3 个区(县)，人工湿地主要分布在平谷和顺义两区，面积 1420.71 公顷，平谷区 1384.75 公顷，占蓟运河水系人工湿地面积的 97.47%，其中水产养殖场型湿地面积最大，为 822.60 公顷，占平谷区人工湿地面积的 59.40%；库塘湿地 0.05 万公顷，占平谷区人工湿地面积的 36.62%；运河/输水河湿地仅 55.11 公顷，占平谷区人工湿地面积的 3.98%。顺义区的人工湿地包括库塘和运河/输水河两个湿地型，面积仅 35.96 公顷，占水系人工湿地面积的 2.53%。

表 2-6　各型人工湿地按水系在各区县分布面积统计表

水系名称	水系面积（公顷）	流经区县	人工湿地面积（公顷）	占水系人工湿地面积比重（%）	各型人工湿地		
					库　塘（公顷）	运河/输水河（公顷）	水产养殖场（公顷）
合　计	1641054.00		23917.85		18761.84	1960.21	3195.80
永定河	312006.53	小　计	3442.52	100	3094.73	152.23	195.56
		延庆县	1424.47	41.38	1228.91		195.56
		房山区	1034.25	30.04	1034.25		
		门头沟区	489.08	14.21	489.08		
		大兴区	313.15	9.10	170.59	142.56	
		丰台区	159.93	4.65	150.26	9.27	
		石景山区	21.64	0.63	21.64		
		昌平区					
		海淀区					
潮白河	555845.20	小　计	10780.28	100	10326.63	168.82	284.83
		密云县	8804.24	81.67	8713.06	81.29	8.89
		怀柔区	1145.70	10.63	1101.85	43.85	
		顺义区	396.00	3.67	156.44		230.56
		延庆县	346.28	3.21	346.28		
		通州区	88.06	0.82		43.68	44.38
		昌平区					

（续）

水系名称	水系面积（公顷）	流经区县	人工湿地面积（公顷）	占水系人工湿地面积比重（%）	各型人工湿地		
					库　塘（公顷）	运河/输水河（公顷）	水产养殖场（公顷）
北运河	418764.46	小　计	7610.23	100	4270.52	1563.70	1776.01
		通州区	3793.40	49.85	1901.38	723.45	1168.57
		昌平区	1286.14	16.90	905.21	170.03	210.90
		朝阳区	719.02	9.45	501.30	38.24	179.48
		海淀区	624.84	8.21	276.45	267.70	80.69
		顺义区	563.70	7.41	391.26	141.90	30.54
		大兴区	265.04	3.48	65.25	107.01	92.78
		西城区	184.59	2.43	150.49	34.10	
		东城区	85.95	1.13	33.48	52.47	
		怀柔区	34.26	0.45	34.26		
		石景山	28.80	0.38		28.80	
		丰台区	24.49	0.32	11.44		13.05
大清河	218621.11	小　计	664.11	100	547.31		116.80
		房山区	664.11	100	547.31		116.80
		丰台区					
		门头沟区					
蓟运河	135816.70	小　计	1420.71	100	522.65	75.46	822.60
		平谷区	1384.75	97.47	507.04	55.11	822.60
		顺义区	35.96	2.53	15.61	20.35	
		密云县					

1.4.3 各型人工湿地在各区县的分布

北京各区县均有人工湿地分布，但湿地型分布的多少、数量的大小差别较大。由表2-7所示，从湿地型分布看，密云等9个区(县)分布着全部3个湿地型，有延庆等6个区(县)分布着2个湿地型，门头沟区仅有1个湿地型。从人工湿地面积看，最大的为密云县，为8804.24公顷，占人工湿地面积的36.81%；其次为通州区，为3881.46公顷，占人工湿地面积的16.23%；其他区县人工湿地面积所占比重均在10%以下，面积最小的为石景山区，50.44公顷，占人工湿地面积的0.21%。

库塘湿地是北京人工湿地最大的湿地型，也是北京湿地最大的湿地型，遍布各区县，面积1.88万公顷，占人工湿地面积的78.45%，占湿地总面积的39.03%。从分布看，面积最大的为密云县，8713.06公顷，占库塘湿地面积的46.44%；通州区库塘湿地的面积次之，为1901.38公顷，占库塘湿地面积的10.13%；其他区县库塘湿地面积所占比重均小于10%，而石景山区库塘湿地面积仅为21.64公顷，占库塘湿地面积的0.12%。

库塘湿地中的水库是北京非常重要的人工湿地，主要分布在山区河流的中上游，在社会发展中，发挥了巨大的生态、社会、经济效益。调查结果显示，北京建有水库82座，其中面积在8公顷以上的46座，水库湿地面积为1.42万公顷，占库塘湿地面积的75.82%，占湿地总面积的

表 2-7 各型人工湿地在各区县分布面积统计

区县名称	人工湿地面积（公顷）	比 重（%）	各型人工湿地					
			库 塘（公顷）	比 重（%）	运河/输水河（公顷）	比重（%）	水产养殖场（公顷）	比 重（%）
合 计	23917.85	100	18761.84	78.44	1960.21	8.20	3195.80	13.36
密 云 县	8804.24	36.81	8713.06	46.44	81.29	4.15	9.89	0.31
通 州 区	3881.46	16.23	1901.38	10.13	767.13	39.14	1212.95	37.95
延 庆 县	1770.75	7.40	1575.19	8.40			195.56	6.12
房 山 区	1698.36	7.10	1581.56	8.43			116.80	3.65
平 谷 区	1384.75	5.79	507.04	2.70	55.11	2.81	822.60	25.74
昌 平 区	1286.14	5.38	905.21	4.82	170.03	8.67	210.90	6.60
怀 柔 区	1179.96	4.93	1136.11	6.06	43.85	2.24		
顺 义 区	995.66	4.16	572.31	3.05	162.25	8.28	261.10	8.17
朝 阳 区	719.02	3.01	501.30	2.67	38.24	1.95	179.48	5.62
海 淀 区	624.84	2.61	276.45	1.47	267.70	13.66	80.69	2.52
大 兴 区	578.19	2.42	235.84	1.26	249.57	12.73	92.78	2.90
门头沟区	489.08	2.04	489.08	2.61				
西 城 区	184.59	0.77	150.49	0.80	34.10	1.74		
丰 台 区	184.42	0.77	161.70	0.86	9.67	0.49	13.05	0.41
东 城 区	85.95	0.36	33.48	0.18	52.47	2.68		
石景山区	50.44	0.21	21.64	0.12	28.80	1.47		

29.59%。其中，大型水库4座，湿地面积为1.00万公顷，占水库湿地总面积的70.37%。中型水库17座，湿地面积为3121.66公顷，占水库湿地总面积的21.94%。小型水库25座，湿地面积为1094.42公顷，占水库湿地总面积的7.69%。北京各水库湿地面积及大中型水库在各区县的分布见表2-8。

表 2-8 北京市水库湿地面积统计表

水库类型	水库名称	库 址	湿地面积(公顷)	各型水库湿地所占比重(%)
总 计			14226.09	100
大型水库	小 计		10010.01	70.37
	密云水库	密云县	8273.67	
	官厅水库	延庆县	690.96	
	怀柔水库	怀柔区	727.66	
	海子水库	平谷区	317.72	

（续）

水库类型	水库名称	库　址	湿地面积(公顷)	各型水库湿地所占比重(%)
中型水库	小　计		3121.66	21.94
	滞洪水库	房山区	885.66	
	大宁水库	房山区	298.85	
	白河堡水库	延庆县	346.28	
	北台上水库	怀柔区	231.58	
	十三陵水库	昌平区	226.47	
	沙厂水库	密云县	123.14	
	珠窝水库	门头沟区	187.43	
	遥桥峪水库	密云县	99.76	
	西峪水库	平谷区	107.98	
	黄松峪水库	平谷区	68.72	
	半城子水库	密云县	61.66	
	大水峪水库	怀柔区	63.74	
	崇青水库	房山区	215.76	
	桃峪口水库	昌平区	100.95	
	天开水库	房山区	10.17	
	牛口峪水库	房山区	18.43	
	斋堂水库	门头沟区	75.08	
小型水库	小　计		1094.42	7.69

注：大型水库指库容量1亿立方米(含1亿立方米)以上；中型水库指库容量1000万立方米(含1000万立方米)以上，1亿立方米以下；小型水库指库容量10万立方米(含10万立方米)以上，1000万立方米以下。

水产养殖场湿地，是以水产养殖为主要目的而建设的人工湿地，面积3195.8公顷，占人工湿地面积的13.36%。主要分布在平原地区共11个区(县)，其中通州区面积最大，为1212.95公顷，占该型湿地面积的37.95%；平谷区次之，面积822.60公顷，占该型湿地面积的25.74%；顺义区、延庆县等9个区(县)的该型湿地所占比重均在10%以下。

运河/输水河湿地面积1960.21公顷，占人工湿地面积的8.20%。主要分布在水库与平原区、城市、水库之间或河流与河流、城市之间，是人工修建的引水工程。总体来说，该型湿地面积较小，却在13个区(县)有分布，在百公顷以上的有5个区。其中通州区面积最大，为767.13公顷，占该型湿地面积的39.14%；海淀区面积次之，为267.70公顷，占该型湿地面积的13.66%。

2 各湿地区湿地分布状况

根据湿地区划分条件，北京市域划分17个湿地区，其中密云水库为国家重要湿地，单独化为密云水库湿地区，其他零星湿地以区(县)域为单位，按区(县)名称命名为零星湿地区。

在各湿地区中，密云水库湿地区湿地面积最大，为8273.67公顷，占湿地总面积的17.21%；其次是通州区零星湿地区，湿地面积5997.80公顷，占湿地总面积的12.48%；东城区零星湿地区湿地面积最小，为 85.95 公顷，仅占湿地总面积的 0.18%。各湿地区的湿地类及面积，见表2-9。

表 2-9　各湿地区各类湿地面积分布统计表

湿地类 / 湿地区	合计		河流湿地		湖泊湿地		沼泽湿地		人工湿地	
	面积（公顷）	比例（%）	面积（公顷）	比例（%）	面积（公顷）	比例（%）	面积（公顷）	比例（%）	面积（公顷）	比例（%）
合　计	48071.64	100	22707.53	100	199.65	100	1246.61	100	23917.85	100
密云水库湿地区	8273.67	17.21							8273.67	34.59
通州区零星湿地区	5997.80	12.48	2116.34	9.32					3881.46	16.23
房山区零星湿地区	5093.38	10.59	3395.02	14.95					1698.36	7.10
大兴区零星湿地区	4256.57	8.85	3678.38	16.20					578.19	2.42
延庆县零星湿地区	3348.66	6.97	568.81	2.50			1009.10	80.95	1770.75	7.40
怀柔区零星湿地区	3204.72	6.67	2024.76	8.92					1179.96	4.93
顺义区零星湿地区	2810.58	5.85	1577.41	6.95			237.51	19.05	995.66	4.16
平谷区零星湿地区	2739.51	5.70	1354.76	5.97					1384.75	5.79
密云县零星湿地区	2721.89	5.66	2191.32	9.65					530.57	2.22
门头沟区零星湿地区	2669.78	5.55	2180.70	9.60					489.08	2.04
昌平区零星湿地区	2424.56	5.04	1138.42	5.01					1286.14	5.38
朝阳区零星湿地区	1455.99	3.03	736.97	3.25					719.02	3.01
丰台区零星湿地区	1163.96	2.42	979.54	4.31					184.42	0.77
海淀区零星湿地区	1136.48	2.36	311.99	1.37	199.65	100.00			624.84	2.61
石景山区零星湿地区	480.59	1.00	430.15	1.89					50.44	0.21
西城区零星湿地区	207.95	0.46	22.95	0.11					184.59	0.77
东城区零星湿地区	85.95	0.18							85.95	0.36

3　各级流域的湿地分布状况

按照流域分类原则，全国共划分 11 个一级流域，81 个二级流域，211 个三级流域。海河流域为全国 11 个一级流域之一，称海河区，共划分为 4 个二级流域和 15 个三级流域。北京作为独立的调查统计单位，坐落在海河流域内，为海河区(一级流域)的一部分，分别属于海河北系(二级流域)的北三河山区(三级流域)、永定河册田水库至三家店区间(三级流域)、北四河下游平原(三级流域)和海河南系(二级流域)的大清河山区(三级流域)、大清河淀西平原(三级流域)的一部分。

北京湿地在海河区的具体分布为：海河北系湿地面积 4.46 万公顷，占海河区湿地面积的

92.69%。其中北三河山区湿地面积1.66万公顷，占海河北系湿地面积的37.29%；永定河册田水库至三家店区间湿地面积5685.08公顷，占海河北系湿地面积的12.76%；北四河平原湿地面积2.23万公顷，占海河北系湿地面积的49.96%。海河南系湿地面积3513.00公顷，占海河区湿地面积的7.31%。其中大清河山区湿地面积1402.80公顷，占海河南系湿地面积的39.93%；大清河淀西平原湿地面积2110.20公顷，占海河南系湿地面积的60.07%。各级流域的湿地类型面积和所占比例，见表2-10。

表2-10 北京各级流域湿地面积分布统计表

一级流域	二级流域	三级流域	湿地类	湿地型	湿地面积（公顷）	所占比重（%）	流域涉及区县
海河区	总 计				48071.64	100	
	海河北系	合 计			44558.64	92.69	
		北三河山区	小 计		16613.72	34.56	密云、怀柔、延庆、昌平、平谷
			河流湿地	计	4824.75	10.04	
				永久性河流	1487.72		
				季节性或间歇性河流	3122.73		
				洪泛平原湿地	214.30		
			人工湿地	计	11788.97	24.52	
				库塘	11205.12		
				运河/输水河	332.88		
				水产养殖场	250.97		
		永定河册田水库至三家店区间	小 计		5685.08	11.83	延庆、门头沟、昌平
			河流湿地	计	2740.79	5.70	
				永久性河流	165.71		
				季节性或间歇性河流	2575.08		
			沼泽湿地	计	1009.10	2.10	
				草本沼泽	1009.10		
			人工湿地	计	1935.19	4.03	
				库塘	1739.63		
				水产养殖场	195.56		
		北四河下游平原	小 计		22259.84	46.30	顺义、通州、海淀、朝阳、东城、西城、丰台、大兴、石景山、昌平、平谷、怀柔、密云
			河流湿地	计	13178.76	27.41	
				永久性河流	1272.23		
				季节性或间歇性河流	7016.49		
				洪泛平原湿地	4890.04		
			湖泊湿地	计	199.65	0.42	
				永久性淡水湖	199.65		
			沼泽湿地	计	237.51	0.49	
				草本沼泽	237.51		
			人工湿地	计	8643.92	17.98	
				库塘	4384.12		
				运河/输水河	1627.33		
				水产养殖场	2632.47		

（续）

一级流域	二级流域	三级流域	湿地类	湿地型	湿地面积（公顷）	所占比重（%）	流域涉及区县
海河区	海河南系	合　计			3513.00	7.31	
		大清河山区	小　计		1402.80	2.92	房山
			河流湿地	计	1382.62	2.88	
				永久性河流	819.43		
				季节性或间歇性河流	563.19		
			人工湿地	计	20.18	0.04	
				库塘	20.18		
		大清河淀西平原	小　计		2110.20	4.39	房山
			河流湿地	计	580.61	1.21	
				季节性或间歇性河流	580.61		
			人工湿地	计	1529.59	3.18	
				库塘	1412.79		
				水产养殖场	116.80		

注：北三河指潮白河、北运河、蓟运河；北四河指潮白河、北运河、蓟运河和永定河；大清河淀西平原中的淀是指白洋淀。

4　各地貌单元湿地分布状况

北京市域按地貌类型划分为山区和平原两个地貌单元。表2-11显示，山区和平原的湿地数量分布，正好与山区平原面积成反比（山区面积占62%，平原面积占38%），山区湿地面积为1.83万公顷，占湿地总面积的38.07%；平原湿地面积为2.98万公顷，占湿地总面积的61.93%。

从湿地类型的分布看，北京分布的4个湿地类，8个湿地型，在平原地区均有分布；而山区仅分布有2个湿地类，5个湿地型，较平原地区少了湖泊湿地、沼泽湿地2个类，及永久性淡水湖湿地、草本沼泽湿地和洪泛平原湿地3个湿地型。

山区最大的湿地类为人工湿地，面积1.16万公顷，占湿地总面积的24.13%，占山区湿地面积的63.37%；其次为河流湿地，面积6704.07公顷，分别占湿地总面积的13.95%，占山区湿地面积的36.63%。山区最大的湿地型为库塘湿地，面积1.15万公顷，占湿地总面积的23.90%，占山区湿地面积的62.76%；其次为季节性或间歇性河流湿地，面积4809.99公顷，占湿地总面积的10.01%，占山区湿地面积的26.28%；永久性河流湿地1894.08公顷，占湿地总面积的3.94%，占山区湿地面积的10.35%；运河/输水河湿地和水产养殖场湿地数量很少，二者之和仅占湿地总面积的0.23%，占山区湿地面积的0.61%。

平原最大的湿地类为河流湿地，面积1.60万公顷，占湿地总面积的33.29%，占平原湿地面积的53.76%；其次为人工湿地，面积1.23万公顷，占湿地总面积的25.63%，占平原湿地面积的41.38%；沼泽和湖泊湿地面积均比较小，分别为1246.61公顷和199.65公顷。

平原地区最大的湿地型为季节性或间歇性河流湿地，面积9262.41公顷，占湿地总面积的19.27%，占平原湿地面积的33.11%；其次为库塘湿地，面积7274.81公顷，占湿地总面积的15.13%，占平原湿地面积的24.44%；第三是洪泛平原湿地，面积4890.04公顷，占湿地总面积的10.17%，占平原湿地面积的16.43%；第四是水产养殖场湿地，面积3177.47公顷，占湿地总面积的6.61%，占平原湿地面积的10.67%；最小的湿地型为永久性淡水湖湿地，面积199.65公顷，占湿地总面积的0.42%，占平原湿地面积的0.67%。其中，洪泛平原湿地、永久性淡水湖湿地、草本沼泽湿地为北京平原地区所特有。

永久性河流、季节性或间歇性河流、库塘、运河/输水河、水产养殖场5个湿地型是山区和平原共有的，其中永久性河流湿地在山区和平原的分布，各占约50.00%；季节性或间歇性河流湿地，山区4809.99公顷，平原9262.41公顷，分别占该型湿地面积的34.18%和65.82%；库塘湿地山区1.15万公顷，占该型湿地的61.23%，平原7274.81公顷，占该型湿地的38.77%；运河/输水河湿地和水产养殖场湿地主要分布在平原地区，面积分别为1867.30公顷和3177.47公顷，各占该型湿地面积的95.26%和99.43%。各地貌单元湿地分布情况及所占比重，见表2-11。

表2-11 各地貌单元湿地面积统计表

<table>
<tr><th>统计单位</th><th>地 貌</th><th>湿地类</th><th>湿地型</th><th>湿地面积（公顷）</th><th>占湿地总面积比重(%)</th><th>占各地貌湿地比重(%)</th></tr>
<tr><td rowspan="24">全 市</td><td colspan="3">合 计</td><td>48071.64</td><td>100</td><td></td></tr>
<tr><td rowspan="9">山 区</td><td colspan="2">小 计</td><td>18302.34</td><td>38.07</td><td>100</td></tr>
<tr><td rowspan="3">河流湿地</td><td>计</td><td>6704.07</td><td>13.95</td><td>36.63</td></tr>
<tr><td>永久性河流</td><td>1894.08</td><td>3.94</td><td>10.35</td></tr>
<tr><td>季节性或间歇性河流</td><td>4809.99</td><td>10.01</td><td>26.28</td></tr>
<tr><td rowspan="4">人工湿地</td><td>计</td><td>11598.27</td><td>24.13</td><td>63.37</td></tr>
<tr><td>库塘</td><td>11487.03</td><td>23.90</td><td>62.76</td></tr>
<tr><td>运河/输水河</td><td>92.91</td><td>0.19</td><td>0.51</td></tr>
<tr><td>水产养殖场</td><td>18.33</td><td>0.04</td><td>0.10</td></tr>
<tr><td rowspan="14">平 原</td><td colspan="2">小 计</td><td>29769.30</td><td>61.93</td><td>100</td></tr>
<tr><td rowspan="4">河流湿地</td><td>计</td><td>16003.46</td><td>33.29</td><td>53.76</td></tr>
<tr><td>永久性河流</td><td>1851.01</td><td>3.85</td><td>6.22</td></tr>
<tr><td>季节性或间歇性河流</td><td>9262.41</td><td>19.27</td><td>31.11</td></tr>
<tr><td>洪泛平原湿地</td><td>4890.04</td><td>10.17</td><td>16.43</td></tr>
<tr><td rowspan="2">湖泊湿地</td><td>计</td><td>199.65</td><td>0.42</td><td>0.67</td></tr>
<tr><td>永久性淡水湖</td><td>199.65</td><td>0.42</td><td>0.67</td></tr>
<tr><td rowspan="2">沼泽湿地</td><td>计</td><td>1246.61</td><td>2.59</td><td>4.19</td></tr>
<tr><td>草本沼泽</td><td>1246.61</td><td>2.59</td><td>4.19</td></tr>
<tr><td rowspan="4">人工湿地</td><td>计</td><td>12319.58</td><td>25.63</td><td>41.38</td></tr>
<tr><td>库塘</td><td>7274.81</td><td>15.13</td><td>24.44</td></tr>
<tr><td>运河/输水河</td><td>1867.30</td><td>3.88</td><td>6.27</td></tr>
<tr><td>水产养殖场</td><td>3177.47</td><td>6.61</td><td>10.67</td></tr>
</table>

5 各行政区湿地分布状况

北京现辖14个区、2个县，共16个行政单位。由表2-12可知，各区县均有湿地分布，但湿地的类型、数量分布有较大差异。

从各湿地类分布看，河流湿地、人工湿地在各区县基本有分布，而沼泽湿地仅分布在顺义和

表 2-12　各区县湿地面积分布统计表

各区县湿地		合　计	河流湿地				湖泊湿地		沼泽湿地		人工湿地			
			小　计	永久性河流	季节性或间歇性河流	洪泛平原湿地	小　计	永久性淡水湖	小　计	草本沼泽湿地	小　计	库　塘	运河/输水河	水产养殖场
合　计	面积(公顷)	48071.64	22707.53	3745.09	13858.10	5104.34	199.65	199.65	1246.61	1246.61	23917.81	18761.80	1960.21	3195.80
	比例(%)	100	47.24	7.79	28.83	10.62	0.42	0.42	2.59	2.59	49.75	39.03	4.08	6.65
密云县	面积(公顷)	10995.56	2191.32	769.78	1207.24	214.30					8804.24	8713.06	81.29	9.89
	比例(%)	22.87	19.93	7.00	10.98	1.95					80.07	79.24	0.74	0.09
通州区	面积(公顷)	5997.80	2116.34	330.34	1729.16	56.84					3881.46	1901.38	767.13	1212.95
	比例(%)	12.48	35.29	5.51	28.83	0.95					64.71	31.70	12.79	20.22
房山区	面积(公顷)	5093.38	3395.02	819.43	1292.69	1282.90					1698.36	1581.56		116.80
	比例(%)	10.60	66.66	16.09	25.38	25.19					33.34	31.05		2.29
大兴区	面积(公顷)	4256.57	3678.38	78.12	757.97	2842.29					578.19	235.84	249.57	92.78
	比例(%)	8.85	86.42	1.84	17.81	66.77					13.58	5.54	5.86	2.18
延庆县	面积(公顷)	3348.66	568.81	228.48	340.33				1009.10	1009.10	1770.75	1575.19		195.56
	比例(%)	6.97	16.99	6.82	10.16				30.13	30.13	52.88	47.04		5.84
怀柔区	面积(公顷)	3204.72	2024.76	532.97	1491.79						1179.96	1136.11	43.85	
	比例(%)	6.67	63.18	16.63	46.55						36.82	35.45	1.37	
顺义区	面积(公顷)	2810.58	1577.41	40.46	1536.95				237.51	237.51	995.66	572.31	162.25	261.10
	比例(%)	5.85	56.12	1.44	54.68				8.45	8.45	35.43	20.36	5.77	9.29
平谷区	面积(公顷)	2739.51	1354.76		1354.76						1384.75	507.04	55.11	822.60
	比例(%)	5.70	49.45		49.45						50.55	18.51	2.01	30.03
门头沟	面积(公顷)	2669.78	2180.70	122.20	2058.50						489.08	489.08		
	比例(%)	5.55	81.68	4.58	77.10						18.32	18.32		
昌平区	面积(公顷)	2424.56	1138.42	449.86	688.56						1286.14	905.21	170.03	210.90
	比例(%)	5.04	46.95	18.55	28.40						53.05	37.34	7.01	8.70
朝阳区	面积(公顷)	1455.99	736.97	317.96	419.01						719.02	501.30	38.24	179.48
	比例(%)	3.03	50.62	21.84	28.78						49.38	34.43	2.63	12.33
丰台区	面积(公顷)	1163.96	979.54	55.49	216.04	708.01					184.42	161.7	9.67	13.05
	比例(%)	2.42	84.16	4.77	18.56	60.83					15.84	13.89	0.83	1.12
海淀区	面积(公顷)	1136.48	311.99		311.99		199.65	199.65			624.84	276.45	267.70	80.69
	比例(%)	2.36	27.45		27.45		17.57	17.57			54.98	24.33	23.56	7.10
石景山	面积(公顷)	480.59	430.15		430.15						50.44	21.64	28.80	
	比例(%)	1.00	89.50		89.50						10.50	4.50	5.99	
西城区	面积(公顷)	207.55	22.96		22.96						184.59	150.49	34.10	
	比例(%)	0.43	11.06		11.06						88.94	72.51	16.43	
东城区	面　积	85.95									85.95	33.48	52.47	
	比例(%)	0.18									100.00	38.95	61.05	

延庆两区(县)，湖泊湿地则只分布在海淀区。

从各湿地型分布看，密云、通州、大兴、顺义、丰台5个区(县)分布最多，有6个湿地型；房山、延庆、昌平、朝阳、海淀5个区(县)分布的湿地型数量次之，有5个湿地型；怀柔和平谷两区有4个湿地型；门头沟、石景山和西城3个区有3个湿地型；东城区湿地型最少，仅2个。

从湿地分布的面积看，密云县湿地面积最大，有1.10万公顷，占全市湿地总面积的22.87%，其中人工湿地8804.24公顷，占全市人工湿地面积的36.81%，占密云县湿地面积的80.07%。其次是通州区，湿地面积5997.80公顷，占全市湿地总面积的12.48%，其中人工湿地中的水产养殖场湿地面积最大，为1212.95公顷，占全市水产养殖场湿地总面积的37.95%，占通州区湿地总面积的20.22%；季节性或间歇性河流湿地面积最大，为1729.16公顷，占该型湿地总面积的12.48%，占通州区湿地总面积的28.83%。东城区湿地面积最小，仅为85.95公顷，占全市湿地总面积的0.18%。

第三节 重点调查湿地

1 数 量

根据《全国湿地资源调查技术规程(试行)》的要求，结合北京市湿地资源现状和保护管理的需求，第二次北京市湿地资源调查确定的重点调查湿地有8个。

2 面积及分布

重点调查湿地总面积为12089.26公顷，占全市湿地总面积的25.15%。在重点调查湿地中，人工湿地面积10028.98公顷，占重点调查湿地总面积的82.96%；河流湿地面积813.67公顷，占重点调查湿地总面积的6.73%；沼泽湿地面积1246.61公顷，占重点调查湿地总面积的10.31%。主要分布在密云水库、野鸭湖、汉石桥、怀沙-怀九河、拒马河。北京市重点调查湿地分布情况，如图2-9。

在重点调查湿地中重点调查的湿地自然保护区6个，保护区总面积达到2.11万公顷，所保护的湿地面积3743.55公顷。其中市级湿地自然保护区4个，湿地面积3289.25公顷；县级湿地自然保护区2个，湿地面积454.30公顷。各重点调查湿地类型、面积、分布情况见表2-13。

3 水环境状况

调查结果表明，各重点调查湿地的水源补给状况主要是大气降水补给、综合补给，地表水水质为Ⅱ、Ⅲ类。

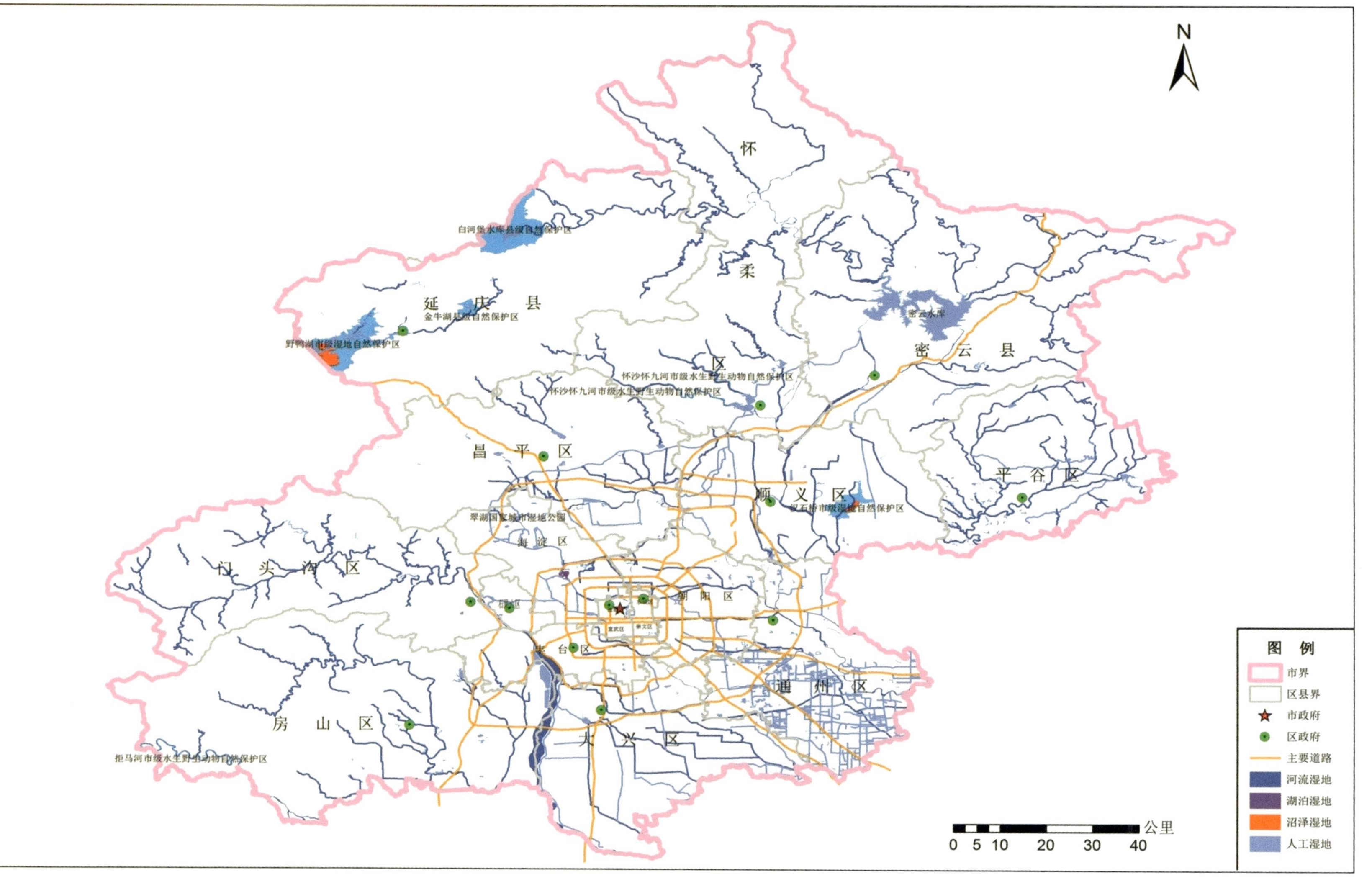

图 2-9　北京市重点调查湿地分布图

表 2-13 重点调查湿地统计表

序号	名 称	级 别	主要湿地类型	面积(公顷)	分 布
1	密云水库	国家级	人工湿地	8273.67	怀柔区
2	翠湖国家城市湿地公园	市 级	人工湿地	72.04	海淀区
3	野鸭湖市级湿地自然保护区	市 级	人工湿地	2368.13	延庆县
4	汉石桥市级湿地自然保护区	市 级	沼泽湿地	279.79	顺义区
5	怀沙－怀九河市级水生野生动物自然保护区	市 级	河流湿地	220.48	怀柔区
6	拒马河市级水生野生动物自然保护区	市 级	河流湿地	420.85	房山区
7	白河堡水库县级自然保护区	县 级	人工湿地	373.99	延庆县
8	金牛湖县级自然保护区	县 级	人工湿地	80.31	延庆县
	合 计			12089.26	

4 保护管理状况

密云水库采取禁止网箱养鱼、围网、种草、投放鱼苗，严禁猎捕行为，水源涵养林及水土保持林建设；野鸭湖设立围栏、部分地段实施封闭管理、在保护区内和周边设立宣传牌、实施湿地生态修复工程等；汉石桥建设中水处理厂、实施植被恢复工程、保护湿地鸟类栖息地等；白河堡水库主要是设立界牌、水源涵养林建设、采取社区共管等；其余湿地公园主要是设立界牌、明示牌、宣传牌等。

5 受威胁状况

主要受到干旱、人为因素、基建和城市建设、泥沙淤积、污染、沙化、湿地旅游开发、外来物种入侵、挖沙等威胁。

第三章 湿地生物资源

第一节 湿地植物和植被

湿地植被是指生长在地表过湿或有季节性或常年性积水、土壤潜育或有泥炭的地段上，以水生植物或湿生植物为主体的植物群落。水生植物生长在地表经常过湿、常年积水或浅水的环境中。湿生植物是水生和陆生植物之间的过渡类型，它们既具备水生植物的某些特征又具备旱生植物的某些特征。

1 湿地植物

调查显示，湿地内共有植物 124 科 503 属 1020 种(附录 1)，占全市植物种数 2088 种的 48.85%，其中：湿地植物(湿生、水生植物)66 科 196 属 368 种，占全市植物种数的 17.62%。按照植物门划分，被子植物有 59 科 189 属 357 种(其中：双子叶植物 41 科 131 属 226 种，单子叶植物 18 科 58 属 131 种)；蕨类植物 7 科 7 属 11 种。

1.1 科级统计分析

1.1.1 科级统计

经统计分析，湿地植物中，含有 30 种以上的科有 3 个、含 10 ~30 种的科有 7 个、含 2 ~9 种的科有 30 个、仅含 1 种的科计 26 个，分别占湿地植物(湿生、水生植物)总科数的 4.55%、10.61%、45.45%、39.39%(表 3-1)。所含种数的个数最多的 10 个科依次排列是：莎草科 43 种、禾本科 36 种、菊科 33 种、蓼科 29 种、唇形科 19 种、伞形科 11 种、玄参科 10 种、藜科 10 种、十字花科 10 种、眼子菜科 10 种。此 10 科中按照所含属数的多少依次排列是：禾本科 23 属、菊科 19 属、唇形科 13 属、伞形科 11 属、莎草科 7 属、玄参科 6 属、藜科 5 属、十字花科 5 属、蓼科 3 属、眼子菜科 2 属。

1.1.2 科级分析

北京湿地植物中被子植物有 59 科，占湿地植物(湿生、水生植物)总科数的 89.39%。这些科既有进化水平较低的古老科，如马兜铃科；也有在被子植物进化中处于分化地位的关键类群的科，如虎耳草科；还有高度进化的科，如菊科、禾本科等。各科含属数差异悬殊。

表 3-1 北京湿地植物(湿生、水生植物)科统计分析表

统计项目	科名及所含属种数	共有科数	占总科数比例(%)	科含属数	占总属数比例(%)	科含种数	占总种数比例(%)
合计		66	100	196	100	368	100
含 30 种以上的科	莎草科(7 属 43 种)、禾本科(23 属 36 种)、菊科(19 属 33 种)	3	4.55	49	25.00	112	30.43
含 10～30 种的科	蓼科(3 属 29 种)、唇形科(13 属 19 种)、伞形科(11 属 11 种)、玄参科(6 属 10 种)、藜科(5 属 10 种)、十字花科(5 属 10 种)、眼子菜科(2 属 10 种)	7	10.61	45	22.96	99	26.90
含 2～9 种的科	睡莲科(4 属 5 种)、蔷薇科(4 属 9 种)、豆科(4 属 6 种)等	30	45.45	76	38.78	131	35.60
仅含 1 种的科	马兜铃科、狸藻科、车前科、鸢尾科、黑三棱科、柽柳科等	26	39.39	26	13.27	26	7.07

北京湿地植物的大科中，菊科是广泛分布于全球的十分进化的草本科，是湿地中广泛分布的杂草类型；禾本科也是十分进化的草本科，全球广布，是各种草本植被的建群种和优势种成分，在北京湿地植物中占有很大的比重，是主要的湿地植物；蔷薇科是被子植物进化过程中由初级到中级的过渡类型，包括草本和木本，世界各地都有，但以北半球温带和亚热带居多，北京湿地蔷薇科属较丰富，但种类所占比重并不大，说明北京湿地植物具有原始性的特点，但处于较进化的阶段；豆科是北温带的优势植物，唇形科和十字花科也是分布范围很广的科，但在北京湿地中分布的种类较少、数量不大、分布面积较小。

1.2 属级统计分析

1.2.1 属级统计

经统计分析，含 10 种以上湿地植物的属有 3 个，占湿地植物总属数的 1.53%，其中，蓼属 19 种、莎草属 12 种、薹草属 12 种；含 5～10 种的属 10 个，占总属数 5.10%，其中，酸模属 9 种、眼子菜属 9 种、委陵菜属 6 种、藨草属 6 种、焯菜属 5 种、菱属 5 种、柳叶菜属 5 种、香蒲属 5 种、稗属 5 种、荸荠属 5 种；含 3 或 4 种的属共 18 个，占总属数的 9.18%，如藜属 4 种、狐尾藻属 3 种、鬼针草属 4 种、灯心草属 4 种等；其余 165 属，每属仅含 1 或 2 种，占总属数的 84.18%。含 5 种以上的属按照所含种数的多少依次排列是：蓼属 19 种、莎草属 12 种、薹草属 12 种、酸模属 9 种、眼子菜属 9 种、委陵菜属 6 种、藨草属 6 种、焯菜属 5 种、菱属 5 种、柳叶菜属 5 种、香蒲属 5 种、稗属 5 种、荸荠属 5 种，见表 3-2。

表 3-2　北京湿地植物(湿生、水生植物)属统计分析表

统计项目	属名及所含种数	植物属数	占总属数比例(%)	植物种数	占总种数比例(%)
合　计		196	100	368	100
含 10 种以上的属	蓼属 19 种、莎草属 12 种、薹草属 12 种	3	1.53	43	11.68
含 5～10 种的属	酸模属 9 种、眼子菜属 9 种、委陵菜属 6 种、藨草属 6 种、蔊菜属 5 种、菱属 5 种、柳叶菜属 5 种、香蒲属 5 种、稗属 5 种、荸荠属 5 种	10	5.10	60	16.30
含 3 或 4 种的属	藜属 4 种、狐尾藻属 3 种、鬼针草属 4 种、灯心草属 4 种等	18	9.18	63	17.12
仅含 1 或 2 种的属	莲属 1 种、水毛茛属 2 种、千屈菜属 1 种、芦苇属 1 种、慈姑属 2 种等	165	84.18	202	54.89

1.2.2　属级分析

北京湿地植物中，被子植物属有 189 个，占湿地植物(湿生、水生植物)总属数的 96.43%。既有十分进化的属，如菊科、莎草科中的许多草本属，也有一些十分古老的类型，如菊科中的少数木本属(如狗娃花属)等。在含 10 种以上的大属中，蓼属主要分布在湿地水陆交界的区域，是北京湿地中分布较广的湿地杂草群落，一般和芦苇、香蒲、球穗莎草等植物伴生。

1.3　种级统计分析

北京市湿地植物主要是由草本植物组成，草本植物多生长在河滩湿地和沼泽湿地中，以水生和湿生为主。在 368 种湿地植物中，湿生植物 306 种，占总种数的 83.15%，水生植物 62 种，占总种数的 16.85%。

生长在河滩湿地和沼泽湿地中的植物，按照生活型可进一步划分为沉水植物、漂浮植物、浮叶植物、挺水植物和湿生植物。调查显示，常见种类包括：

(1)沉水植物：苦草、篦齿眼子菜、狐尾藻、狸藻、穗状狐尾藻、菹草、水毛茛、马来眼子菜、金鱼藻、黑藻、大茨藻等。

(2)漂浮植物：槐叶苹、紫萍、白萍(水鳖)、苹、浮萍、满江红等。

(3)浮叶植物：荇菜、细果野菱、睡莲、穿叶眼子菜、眼子菜、竹叶眼子菜、北京水毛茛等。

(4)挺水植物：芦苇、菖蒲、莲、慈姑、千屈菜、灯心草、扁秆藨草、泽泻、水葱、荻等。

(5)湿生植物：稗、小藜、钻叶紫菀、大蓟、芒、牛膝等。

1.4　湿地植物区系特点

1.4.1　分布区类型具有多样性

湿地植物属的分布区含有 15 个分布区类型和 9 个变型。热带分布有 6 个分布型和 2 个变型；

温带分布有4个分布型和4个变型。在所有分布型中，北温带分布型及其变型占首位。从湿地植被分布的广泛性和特有种匮乏可以看出，北京湿地植被具有隐域性质。与其他区域如山西、东北等地区植被的分布相比，湿地植被的分布区域性的烙印不明显。根据以往资料分析，北京地区原始植被状态应该是湿地植被占主导，但由于人类活动和气候的双重影响，使得大量物种分布减少或消失，如品字萍、东方香蒲、宽叶香蒲的消失，芡仅有少量分布。

1.4.2 草本植物占优势

北京市湿地植物主要是由草本植物组成，乔木、灌木只有少数属，如杨属、柳属，而草本植物却占到95%以上，因此草本植物居绝对优势地位。草本植物种类较多的科有莎草科、禾本科、菊科、蓼科、唇形科、伞形科、玄参科、藜科、十字花科、眼子菜科等，草本植物多生长在河滩湿地和沼泽湿地中，以水生和湿生为主。

1.4.3 温带植物占优势

北京地区湿地植物中温带成分植物占优势地位。温带分布型包括较多的草本植物，也是北京地区湿地植物群落类型的主要建群种或优势种，如莲属、薄荷属、蒿属等；此外，许多群落的建群种为世界分布种，如芦苇群落、香蒲群落、莎草群落、薹草群落和眼子菜群落等。

1.4.4 旱生和栽培植物多

经统计分析，湿地内有旱生植物427种、栽培植物223种，旱生植物和栽培植物共占全市植物种数2088种的31.13%，共占湿地内植物种数1020种的63.73%。可见旱生植物占湿地内植物种类比重大，这是因为北京连年干旱，造成水资源匮乏、湿地退化，从而导致旱生植物大量侵入湿地。

1.5 国家重点保护野生湿地植物

调查显示，北京仅有1种国家重点保护野生湿地植物，为国家Ⅱ级保护的野大豆。还有人工栽培的国家重点保护植物2种，分别为水杉、银杏。

1.6 常见的湿地植物种类

经统计分析，北京常见的湿地植物主要有芦苇、香蒲、睡莲、水莎草、水毛花、水蓼、慈姑、酸模叶蓼、浮萍、紫萍、狐尾藻、金鱼藻、菹草、荇菜、篦齿眼子菜、马来眼子菜、大茨藻等。

2 湿地植被

2.1 湿地植被类型、面积及其分布

调查显示，湿地植被类型主要有莎草型湿地植被型、禾草型湿地植被型、杂类草湿地植被型、漂浮植物型、浮叶植物型、沉水植物型。

湿地植物群系主要有莲群系、芦苇群系、香蒲群系、菖蒲群系和水葱群系等。

莲群系主要分布在通州、顺义、朝阳、房山、海淀；芦苇群系主要分布在顺义汉石桥、通州北运河、温榆河通州段、温榆河海淀段、海淀翠湖国家城市湿地公园、海淀后沙涧河、大兴牛

坊、朝阳奥林匹克森林公园、丰台大宁水库、牤牛河、平谷泃河、永定河门头沟段、延庆妫水公园、野鸭湖、官厅水库、大庄科河、妫水河、黑河、三里河湿地公园、白河等；香蒲群系主要分布在顺义汉石桥、海淀翠湖国家城市湿地公园、大兴、朝阳、平谷、门头沟、延庆等；菖蒲群系主要分布在延庆；水葱群系主要分布在丰台。

2.2　常见的植被类型及其分布规律

2.2.1　草丛湿地植被型

(1)芦苇群系。分布于河岸、河溪边多水区，在水流较慢地段或河滩、池塘岸边有生长，目前仅为斑块生长，常形成苇塘，如汉石桥。

(2)香蒲群系。分布于积水浅的地段，地表有常年积水或持续时间较长的季节性积水，常伴生黑藻、金鱼藻、菹草、眼子菜、雨久花、慈姑等，水面上浮水植物紫萍、荇菜，在静水湖边或水流较慢河段或河滩，常有香蒲－芦苇群聚。有些地段小香蒲构成优势种，主要分布在野鸭湖、三家店、顺义汉石桥、潮白河等地。

(3)菖蒲群系。分布于河岸边、河滩洼地。面积小而零星。群落外貌一片油绿色，伴生植物有水芹、回回蒜、水蓼、牛毛毡等。分布于延庆。

(4)水葱群系。分布于河滩地，水深几厘米到三四十厘米不等，面积较小，分布零星。伴生植物有芦苇、香蒲、有芒稗、水蓼、扁秆藨草、花蔺、野慈姑、球穗莎草及浮叶植物荇菜、细果野菱、紫萍、浮萍、金鱼藻、线叶眼子菜等。

(5)球穗莎草群系。分布于常年积水或季节性积水地段。呈零星分布于水库岸边、河湖岸、池塘边浅水处。伴生植物有复序飘拂草、白鳞莎草、水莎草、褐鳞莎草、尖嘴薹草、稗、酸模叶蓼等及水生植物紫萍、狐尾藻、大茨藻、金鱼藻等。

2.2.2　漂浮植物型

该群落的特点是植物漂浮于水面，根浮于水中，随水流和风浪漂移在水面上，因此，群落组成和结构常不稳定。

(1)槐叶苹群系。槐叶苹是蕨类植物，广泛分布于全国各地池塘、稻田、水沟及河弯等水面，是世界广布种。常伴生浮萍、紫萍。分布在稻田及河湾。如沙河、汉石桥、野鸭湖等地均有分布。

(2)紫萍群系。分布于城市景观“湖泊”、池塘和稻田。常伴生浮萍组成群落，浮于水面，也常伴生沉水植物金鱼藻、黑藻、苦草等。有时紫萍形成单优势种，常见于城市污水排放的静水面或水质污染较重的水体。

(3)白萍(水鳖)群系。分布于城市景观“湖泊”浅水区及静水河湾。常形成单优势种，一般无伴生种。盖度小的时候，伴生浮叶植物荇菜、沉水植物金鱼藻、眼子菜、黑藻等。如野鸭湖、怀沙河等地区有分布。

另外，浮水植物满江红分布于昌平、海淀，生于沟渠、静水沟和稻田等，常与槐叶苹组成群落，伴生种有时各自组成单种群落，如紫萍、浮萍、白萍等。

2.2.3　浮叶植物型

浮叶植物是根固着于水底泥土中，叶片浮于水面。由于根扎于水底泥土中，也可将其列为挺水植物，但叶片浮在水面，茎在水中，茎和叶与挺水植物有所区别，故称浮叶植物。浮叶植物群落是由浮叶植物占优势的群落。

（1）荇菜群系。分布于城市景观“湖泊”、池塘和缓流河湾中，伴生种随分布地段而不同。如昆明湖伴生有细果野菱、黑藻、眼子菜、菹草等，野鸭湖伴生有白萍、紫萍、水葱、香蒲等。三家店水库、怀柔水库边缘等地也分布有荇菜群系。

（2）细果野菱群系。分布于城市景观“湖泊”、池塘及缓流河湾中。如昆明湖、圆明园、怀沙河、怀九河等地，面积很小，斑块状零星分布。伴生种有眼子菜、金鱼藻、狐尾藻及黑藻等。群落外貌暗绿色，秋季是暗红色。

2.2.4 沉水植物型

该植物群落是以沉水植物为优势种所组成的群落。沉水植物是根固着于水底泥土中，茎和叶沉于水面以下，叶薄而柔软或细裂，减少水流的阻力随波摆动，又扩大吸收氧气和光面积。有的植物花序伸出水面，受粉后缩回水中结果，如苦草；也有的在水中开花结果，如眼子菜。

（1）菹草群系。北京地区分布广而零星，常成带状或斑块状分布，生长于城市景观“湖泊”、河湾、池塘和水渠中，一般分布于水深在 0.50～3.00 米的浅水水域。常为单种群落，有时伴生金鱼藻、黑藻、苦草等。分布于潮白河、野鸭湖、拒马河等地。

（2）苦草群系。北京分布较普遍，主要生于城市景观“湖泊”、池塘、河道及沟渠。苦草群落常形成单优势种，伴生植物有黑藻、篦齿眼子菜、金鱼藻、马来眼子菜等。苦草全株质嫩，可为鱼类及家畜、家禽的饲料。分布于白河、拒马河、京密引水渠等地。

（3）篦齿眼子菜群系。分布于河道、沟渠、溪流，以篦齿眼子菜为优势种，呈带状分布。伴生种较少，如狐尾藻、菹草、苦草、金鱼藻、黑藻等。从水底密集可达水面，呈褐绿色或褐黄色。河流及沟渠较普遍，局部分布面积较小。

（4）狐尾藻群系。分布于城市景观“湖泊”、池塘和沟渠中。伴生植物有黑藻、菹草、大茨藻、金鱼藻、眼子菜等。在浅水处有挺水植物香蒲、单穗飘拂草、扁秆藨草、慈姑、泽泻等，浮水植物有紫萍、白萍等，常见于雁落、官厅水库。北京还可见小面积轮叶狐尾藻群落。分布于昆明湖、怀九河等地。

（5）水毛茛群系。呈小面积零星分布于城市景观“湖泊”、池塘、山谷溪流中。水较浅，一般水深 0.30～1.00 米的水中，单优势种群落，偶见细叶眼子菜、篦齿眼子菜伴生。分布于延庆白河、官厅水库、怀九河等地。

第二节 湿地动物资源

1 湿地野生动物种类

调查结果表明，北京共记录到湿地野生动物（脊椎动物）共 5 类 24 目 39 科 202 种。其中，湿地鸟类 9 目 15 科 107 种；鱼类 9 目 15 科 77 种；两栖类 2 目 5 科 8 种；爬行类 3 目 3 科 9 种；哺乳类1目1科1种(表3-3)。

表3-3　北京市湿地动物统计表

统计项目	目　数	科　数	种　数
合　　计	24	39	202
湿地鸟类	9	15	107
鱼　　类	9	15	77
两 栖 类	2	5	8
爬 行 类	3	3	9
哺 乳 类	1	1	1

2　湿地野生动物特点

湿地具有丰富的野生动物资源。北京地区虽然湿地面积相对较小，但是湿地野生动物种类多，特别是鸟类资源丰富，主要有以下几个特点：

2.1　湿地环境具有独特性，大部分湿地野生动物以湿地为生活场所

在脊椎动物中，鱼类77种、两栖类8种均分布在湿地范围内，爬行类9种、哺乳类1种生活在湿地范围。有些可以分布在湿地，也可以离开湿地，但爬行类和哺乳类的陆生特征更为明显。107种湿地鸟类以湿地为生，特别是有些鸟是以湿地植被、湿地动物为生。湿地可以为鸟类提供良好的掩蔽条件，充裕的筑巢场所，丰富的食物，所以有很多鸟儿在湿地栖息繁衍。

2.2　北京地区湿地面积相对较小，但湿地动物种群仍具有较高的多样性

鱼类及两栖类动物生活习性都与湿地有关；爬行类动物近50%生活习性与湿地有关；哺乳类动物中则有水麝鼩、黑线姬鼠等多种动物生活与湿地有关。鸟类中则有一些专以湿地为生的种群，如雁鸭类、鹭类等。也有一部分既可生活在湿地，也可生活在其他环境中，如农田、居民区，森林等。湿地可见鸟类占北京地区鸟类1/3以上。脊椎动物中有近50%的种类可见于湿地中。

2.3　湿地脊椎动物种类多，鸟类、两栖类分布相对集中

秋冬季迁徙季节，常常有数千甚至数万只鸟儿集中在野鸭湖、汉石桥、密云水库等处。一些较小面积城市景观“湖泊”、水库也可见数十只不等的鸟群。种类包括绿头鸭、赤麻鸭、普通秋沙鸭、斑头秋沙鸭、红头潜鸭、鹊鸭、大天鹅、鹗等。爬行动物中分布在水边或溪流中最为常见的是虎斑游蛇，有记录显示，1991年曾在官厅水库东北角湿地中，连续捕获100多条虎斑游蛇。野生动物的数量如此之多，对于进行鸟类、两栖类等种类研究非常有利。

2.4　山区水库、河流常见野生动物种类高于平原

这是因为几座大型水库都分布在山区，虽然滩涂面积较小，但库区面积大，有很多种野生动物栖息。其次山区河流多为上游，水量大，水质好，能够提供充足的食物和掩蔽场所，由于山区

人口密度低，经济开发慢于平原，人为经济活动的干扰相对较少，环境破坏小，对野生动物的影响相对也较小。

密云水库、怀柔水库和官厅水库三座大型水库中的雁鸭类湿地鸟类从每年的10月至翌年5月都有分布，水库周围还有池鹭、苍鹭、夜鹭、黑鹳等鸟类繁殖。密云水库白河入库口处，有苍鹭巢150多个。怀柔水库西侧山坡有池鹭巢300多个。白河堡水库周围也有苍鹭筑巢，还有北京最大群体的黑鹳繁殖活动。山区几大水库水面及周边浅滩，为野生动物提供了良好的活动场所。其他小型、中型水库、河流等也常有鸟类迁徙落脚，但总体数量不大，停留时间相对较短，随机性强。

3 国家重点保护湿地野生动物

本次调查记录到的湿地野生动物，属国家重点保护的共16种。其中，哺乳类仅麋鹿1种，为国家Ⅰ级保护野生动物，两栖类仅大鲵1种，为国家Ⅱ级保护野生动物，其余均为湿地鸟类,共14种。在湿地鸟类中,属国家Ⅰ级保护的有3种,属国家Ⅱ级保护的有11种,见表3-4。

表3-4 北京湿地国家Ⅰ、Ⅱ级保护鸟类统计表

序 号	中文名	拉丁名	保护级别
1	黑鹳	*Ciconia nigra*	国家Ⅰ级
2	东方白鹳	*Ciconia boyciana*	国家Ⅰ级
3	白头鹤	*Grus monacha*	国家Ⅰ级
4	赤颈䴙䴘	*Podiceps grisegena*	国家Ⅱ级
5	角䴙䴘	*Podiceps auritus*	国家Ⅱ级
6	白琵鹭	*Platalea leucorodia*	国家Ⅱ级
7	大天鹅	*Cygnus cygnus*	国家Ⅱ级
8	小天鹅	*Cygnus columbianus*	国家Ⅱ级
9	白额雁	*Anser albifrons*	国家Ⅱ级
10	鸳鸯	*Aix galericulata*	国家Ⅱ级
11	鹗	*Pandion haliaetus*	国家Ⅱ级
12	蓑羽鹤	*Anctropoides virgo*	国家Ⅱ级
13	灰鹤	*Grus grus*	国家Ⅱ级
14	白枕鹤	*Grus vipio*	国家Ⅱ级

4 常见的湿地动物种类

常见的湿地鸟类有鸳鸯、小䴙䴘、大白鹭、苍鹭、夜鹭、池鹭、绿头鸭、赤麻鸭、斑嘴鸭、海鸥等；鱼类有马口鱼、棒花鱼、麦穗鱼、鲤鱼、鲫鱼、鲢、黄鳝、泥鳅、青鱼、草鱼等；两栖类有中华大蟾蜍、中国林蛙等；爬行类有玉斑锦蛇、鳖等；哺乳类有水麝鼩。无脊椎动物有白虾、沼虾、河虾、中华圆田螺等。

5　湿地鸟类

5.1　种类和分布

本次湿地调查记录到湿地鸟类共有107种，隶属于9目15科，其中雁形目种类最多，其次是鸻形目、鹳形目、鹤形目及鸥形目的鸟类，各目湿地鸟类物种数及其所占比例见表3-5。在这107种湿地鸟类中，属于国家重点保护鸟类有14种，其中国家Ⅰ级保护鸟类3种，国家Ⅱ级保护种类11种(表3-5)；属北京市地方重点保护的41种，其中，属北京市Ⅰ级保护的5种，属北京市Ⅱ级保护的36种，见表3-6。

表3-5　北京湿地鸟类种类基本情况统计表

目	科　数	物种数	所占比例(%)
合　　计	15	107	100
1. 䴙䴘目 Podicipediformes	1	5	4.67
2. 鹈形目 Pelecaniformes	1	1	0.94
3. 鹳形目 Ciconniformes	3	14	13.08
4. 雁形目 Anseriformes	1	31	28.97
5. 隼形目 Falconiformes	1	1	0.94
6. 鹤形目 Gruiformes	2	12	11.21
7. 鸻形目 Charadriiformes	4	30	28.04
8. 鸥形目 Lariformes	1	10	9.35
9. 佛法僧目 Coraciformes	1	3	2.80

这些湿地鸟类主要分布在野鸭湖、汉石桥、密云水库、白河堡水库、金牛湖、怀沙－怀九河、拒马河、翠湖、潮河、白河等湿地。其中，黑鹳主要分布在白河汤河口一带，密云清水河一带，拒马河十渡一带等；绿头鸭主要分布在密云水库的北岸燕落、白河、怀柔宽沟、十三陵水库、崇青水库等；小䴙䴘主要分布在密云水库的北岸燕落、怀柔宽沟、十三陵水库、崇青水库等；苍鹭主要分布在密云大关桥、密云水库的北岸燕落、白河、怀柔宽沟、白河堡水库、崇青水库等；斑嘴鸭主要分布在密云水库的北岸燕落、白河、怀柔宽沟等；池鹭主要分布在怀柔宽沟、密云水库的北岸燕落、密云大关桥等。

表3-6　北京市地方Ⅰ、Ⅱ级重点保护湿地鸟类统计表

序号	中文名	拉丁名	保护级别
1	黑颈䴙䴘	*Podiceps nigricollis*	北京市地方Ⅰ级
2	大白鹭	*Egretta alba*	北京市地方Ⅰ级
3	中白鹭	*Egretta intermedia*	北京市地方Ⅰ级
4	蓝翡翠	*Halcyon pileata*	北京市地方Ⅰ级
5	鹮嘴鹬	*Ibidorhyncha struthersii*	北京市地方Ⅰ级

（续）

序号	中文名	拉丁名	保护级别
6	小䴙䴘	*Achybaptus ruficollis*	北京市地方Ⅱ级
7	小白鹭	*Egretta garzetta*	北京市地方Ⅱ级
8	黄斑苇鳽	*Ixobrychus sinensis*	北京市地方Ⅱ级
9	苍鹭	*Rdea cinerea*	北京市地方Ⅱ级
10	草鹭	*Ardea purpurea*	北京市地方Ⅱ级
11	池鹭	*Ardeola bacchus*	北京市地方Ⅱ级
12	绿鹭	*Butorides striatus*	北京市地方Ⅱ级
13	夜鹭	*Nycticorax nycticorax*	北京市地方Ⅱ级
14	紫背苇鳽	*Ixobrychus eurhythmus*	北京市地方Ⅱ级
15	大麻鳽	*Otaurus stellaris*	北京市地方Ⅱ级
16	豆雁	*Anser fabalis*	北京市地方Ⅱ级
17	灰雁	*Anser anser*	北京市地方Ⅱ级
18	赤麻鸭	*Tadorna ferruginea*	北京市地方Ⅱ级
19	翘鼻麻鸭	*Tadorna tadorna*	北京市地方Ⅱ级
20	针尾鸭	*Anas acuta*	北京市地方Ⅱ级
21	绿翅鸭	*Anas crecca*	北京市地方Ⅱ级
22	罗纹鸭	*Anas falcata*	北京市地方Ⅱ级
23	绿头鸭	*Anas platyrhynchos*	北京市地方Ⅱ级
24	斑嘴鸭	*Anas poecilorhyncha*	北京市地方Ⅱ级
25	赤膀鸭	*Anas strepera*	北京市地方Ⅱ级
26	赤颈鸭	*Anas penelope*	北京市地方Ⅱ级
27	白眉鸭	*Anas querquedula*	北京市地方Ⅱ级
28	琵嘴鸭	*Anas clypeata*	北京市地方Ⅱ级
29	赤嘴潜鸭	*Netta rufina*	北京市地方Ⅱ级
30	红头潜鸭	*Aythya ferina*	北京市地方Ⅱ级
31	青头潜鸭	*Aythya baeri*	北京市地方Ⅱ级
32	凤头潜鸭	*Aythya fuligula*	北京市地方Ⅱ级
33	白眼潜鸭	*Aythya nyroca*	北京市地方Ⅱ级
34	斑背潜鸭	*Aythya marila*	北京市地方Ⅱ级
35	长尾鸭	*Clangula hyemalis*	北京市地方Ⅱ级
36	斑脸海番鸭	*Melanitta fusca*	北京市地方Ⅱ级
37	鹊鸭	*Bucephala clangula*	北京市地方Ⅱ级
38	斑头秋沙鸭	*Mergus albellus*	北京市地方Ⅱ级
39	红胸秋沙鸭	*Mergus serrator*	北京市地方Ⅱ级
40	普通秋沙鸭	*Mergus merganser*	北京市地方Ⅱ级
41	黑翅长脚鹬	*Himantopus himantopus*	北京市地方Ⅱ级

5.2　数量状况

北京湿地鸟类的数量状况，从遇见频率、种群数量及密度等方面分析。

5.2.1　遇见频率

根据调查中遇见的次数多少，可以看出某种鸟在北京地区的湿地是否是常见种。

本次调查记录到遇见率在30%以上的湿地鸟类有4种，分别是：绿头鸭58.27%、小䴙䴘42.11%、苍鹭38.35%、斑嘴鸭32.71%。种群数量最高值从高到低依次为绿头鸭6000只、斑嘴鸭1200只、苍鹭280只、小䴙䴘42只。从遇见率可知绿头鸭、小䴙䴘、苍鹭、斑嘴鸭是北京地区湿地最常见的湿地鸟类，在河流、水库，甚至在城市公园不同季节都能见到。

本次调查记录到遇见率在20%~29%的湿地鸟类有6种，分别是：普通翠鸟29.32%、凤头麦鸡24.44%、池鹭24.06%、普通秋沙鸭23.68%、斑头秋沙鸭23.31%、红嘴鸥21.80%。种群数量最高值从高到低依次为普通秋沙鸭3500只、斑头秋沙鸭2500只、红嘴鸥1500只、池鹭400只、凤头麦鸡400只、普通翠鸟14只。这些湿地鸟类在湿地是比较常见的。

5.2.2　种群数量及密度

适宜鸟类生存的环境条件下，鸟的密度就大。如为鸟类提供较大的栖息地、有充足的食物和良好的繁殖场所、隐蔽条件等。

本次调查记录到密度在0.10只/公顷以上的湿地鸟类只有绿头鸭1种，为0.12只/公顷。绿头鸭迁徙的旺季，在野鸭湖同时能见到五六千只。

密度在0.01~0.09只/公顷的有鹊鸭0.09只/公顷、普通秋沙鸭0.07只/公顷、斑头秋沙鸭0.05只/公顷、夜鹭0.05只/公顷、凤头潜鸭0.03只/公顷、红嘴鸥0.03只/公顷、斑嘴鸭0.02只/公顷、棕头鸥0.02只/公顷、绿翅鸭0.02只/公顷、红头潜鸭0.02只/公顷、灰鹤0.01只/公顷、赤麻鸭0.01只/公顷、林鹬0.01只/公顷。这些湿地鸟类主要是集群迁徙的，在深秋初冬的密云水库、密云调节池、怀柔水库和野鸭湖等较大水面，会有数百上千只的大群。

5.3　栖息地及其保护状况

为保护鸟类生存的环境，近年来，通过建立湿地自然保护区，为其提供了适宜的栖息地、充足的食物、良好的繁殖场所和隐蔽条件等，达到保护鸟类的目的。

密云水库的北岸（如燕落村）、怀柔水库、怀沙－怀九河、西水峪水库和延庆野鸭湖、顺义汉石桥等地的水较浅，有较宽阔的漫滩，具有较丰富的水生生物和湿生生物，为迁徙的鸟类提供了良好的休息和取食条件，为一些鸟类提供了栖息场所。

顺义汉石桥和延庆野鸭湖有较大面积的芦苇沼泽、开阔水域、岸边草丛、堤岸防护林带、农田等，为多种鸟类提供了适宜的栖息地，每年有大量的鸟类在保护区栖息繁殖。

城市的一些公园（紫竹院、玉渊潭、颐和园和圆明园）近些年水面得到保护性恢复，植被条件较好，所以鸟的种类和数量都有所增加。

在湿地自然保护区通过实施湿地恢复工程，为鸟类提供不同栖息环境。如修建鸟岛，在鸟岛上和岛周围水域种植多种乔灌木，以及水葱、荷花、水柳、黄花鸢尾等多种挺水植物，为鸟类提供繁殖和休息场所。

6 鱼 类

6.1 种类和主要分布

6.1.1 种 类

北京湿地有鱼类9目15科77种，全为淡水鱼类。

6.1.2 主要分布

北京鱼类主要分布在水库、大小河流、溪流、水产养殖场等各种不同环境中。北京市西部、西南部和北部山区，是多条河流的上源。这些地区气温偏低，水流较急，水质清澈，氧气充足。生活在本地区的鱼类一般为小型或中小型鱼类。这些鱼类体色多呈暗色，特别是背部，体侧有斑点，善于游泳并适于水底石块之间。山间溪流中生活的优势种类包括雅罗鱼亚科鲹属的洛氏鲹、张氏鲹，丹亚科马口鱼属的马口鱼、鱲属的宽鱲以及鳅科的须鳅属、沙鳅属等鱼类。

北京的东南部和中部及北部的平原地区，地势平坦，水域面积宽阔，水流缓慢，氧气含量较高。多数鱼类为喜氧气的类群，体色通常显腹部白色，背部青蓝色。产卵多为浮性或半浮性。优势种类有鳙、鲴、鳊、鳑鲏鱼、黄鳝、圆尾斗鱼、中华多刺鱼、乌鳢、青鳉等。

6.2 经济种类的利用情况

鱼类是湿地生态系统中的一个很重要的环节，有些种类是初级消费者，有些是次级消费者，但它们都是一些鸟类和哺乳类动物的食物，在湿地生态系统中具有重要地位。北京湿地有鱼类77种，具有一定经济价值的有31种，占鱼类总数的40%。

细鳞鱼和多鳞产颌鱼不仅有经济价值，而且在动物地理学上有很重要的研究价值，亟须保护。

鳍、鲸原来并不产于北京，而是由南方引进鱼苗，并在野外生存。

草鱼、鲤鱼、鲫鱼、鲢、鳙等在北京渔业方面有很高的产值，但主要由人工放养，利用水库、池塘或网箱养殖，野生资源则几乎无法利用。

各种野生鱼类中，产量较大的主要有鲹、鳑鲏鱼等，但并不是为了食用，而用以其他方面，如鱼粉、饲料等。可食用野生鱼类中，主要以红鲌属、唇䱻、黄颡鱼、鳜鱼等为主，其中鳜鱼的数量已很少，分布也较狭，主要见于大型水库。乌鳢的分布较广，水库、河流、城市景观“湖泊”均有，经济价值也较高，但其分布很大程度和人工放养投入鱼苗有关。

山区溪流分布的种类，特别是一些优势种，经济价值一般不高，马口鱼尚有一定价值。而水库中分布的种类，由于数量比较大，能够产生一定经济价值，如占优势的鳑鲏鱼和䱗鲦等。鲤、鲫、草鱼等经济价值虽大，但以人工放养为主。

怀柔水库产高背鲫鱼有较高的经济价值，如能人工繁殖放养，或与鲫杂交有很大的效益。

除为人类食用的经济效益，野生鱼类，特别是一些小杂鱼，如棒花鱼、麦穗鱼、鳑鲏鱼等，在湿地生态系统中具有很高的作用。它们是低级生产者，是鸟、兽等的重要食物来源。许多涉湿地鸟类如鹳、鹭、鹤、鹬、鸥等，主要以浅水水体中的动物为食，包括这些小型鱼类。从湿地生态系统保护鸟类的作用考虑，维持或提供充足的水生动物是非常重要的。

北京地区渔业生产，除池塘放养和网箱养殖外，还有部分渔民驾船撒网、拉网或在浅水区摆放迷魂阵；过度摆放迷魂阵，粘网网眼普遍偏小，对鱼类生长和生产具有一定的毁灭性危害。特别是迷魂阵，不分大小鱼统统捕获，在浅水区对鸟类的取食有很大的影响。此外，有渔船在浅水区活动，也对鸟类的活动构成威胁，个别鸟类甚至被迷魂阵套住危及生命。在各水域，特别是水库的较浅水处，应加强对渔业捕捞的管理，采取限时捕捞，控制网眼以确保鱼类的生长和提高产量，从而保障依赖湿地环境生存的鸟类栖息和繁衍。

7　两栖类、爬行类、哺乳类

由于北京城市环境的特点和受长期经济开发活动的影响，除鱼类、鸟类外，其他脊椎动物(两栖类、爬行类和兽类)在湿地中，甚至在整个北京地区分布都非常有限，种类及其数量都相对少于全国其他各省区。

7.1　种类和主要分布

7.1.1　两栖类的种类分布

北京湿地有两栖类动物 5 科 8 种，均分布在湿地范围内，见表 3-7。

表 3-7　北京湿地两栖类动物统计表

序　号	中文名	拉丁名
1	大鲵	*Andrias davidianus*
2	东方铃蟾	*Bombina orientalis*
3	大蟾蜍	*Bufo gargarizans*
4	花背蟾蜍	*Bufo raddei*
5	黑斑蛙	*Pelophylax nigromaculate*
6	金线蛙	*Rana plancyi*
7	中国林蛙	*Rana chensinensis*
8	北方狭口蛙	*Kaloula borealis*

大蟾蜍在全市分布最广，数量也最多，是北京市的优势种类。从平原河流、池塘至高山均有分布。但其数量依海拔增高而减少，平原池塘、河流最为常见，山区溪流、水库也有分布，高山及山顶则为偶见。优势两栖类除大蟾蜍外，就是黑斑蛙，黑斑蛙主要分布于北京的东部、中部、东南部平原的河流两岸、池塘和稻田周围，一般活动区域距水较近。黑斑蛙在平原河流两岸，池塘周围，稻田水渠周围常可见到。但其分布由于身体结构的限制，不如大蟾蜍分布广，离水距离远小于大蟾蜍。平原地区其次常见的种类还有金线蛙，主要分布于池塘和稻田、水渠周围，与黑斑蛙活动区域相似，但种群数量和分布范围不如黑斑蛙。花背蟾蜍的分布只限于大兴至延庆康庄一带内，但数量不如黑斑蛙大。平原地区较少见的是北方狭口蛙，其分布很广，但由于活动时间很短，往往只在雨季较短时间内可以见到，因此，数量显得较少。

山区两栖类优势种类理应属中国林蛙，主要分布在海拔 200 米以上，其分布、数量都明显超过大蟾蜍，但其生活区域距离水源较近，活动范围有限，分布受到限制。东方铃蟾在香山一带有分布。

两栖类由于身体结构的特点，使它们对于水质有着非常敏感的要求。水质受到污染破坏，两栖类种类就会首先显示变化。平原地区下游河流的污染，已使有些地段两栖类消失。此外，农业生产中大量农药的使用，也对黑斑蛙、金线蛙和北方狭口蛙的生存造成较大威胁，数量已明显减少。

7.1.2　爬行类的种类和分布

北京湿地有9种爬行类动物，生活习性上喜欢较湿的环境或活动于多水的环境周围，见表3-8。

表3-8　北京湿地爬行类动物统计表

序　号	中文名	拉丁名
1	鳖	*Pelodiscus sinensis*
2	虎斑游蛇	*Rhabdophis tigrinus*
3	红点锦蛇	*Elaphe rufodorsata*
4	黄脊游蛇	*Coluber spinalis*
5	赤链蛇	*Dinodon rufozonatum*
6	乌梢蛇	*Zaocys dhumnades*
7	玉斑锦蛇	*Elaphe mandarina*
8	黑眉锦蛇	*Elaphe taeniura*
9	丽斑麻蜥	*Eremias argus*

北京地区爬行动物大多属于古北界成分。仅少数成分来自东洋界，如乌梢蛇、玉斑锦蛇等。

爬行动物已是典型陆生脊椎动物，很好地适应了陆生环境。但还是有许多种类分布于阴湿的沼泽或河边草丛等较湿的环境中。北京地区共有爬行动物20种，其中9种生活习性上喜欢较湿的环境或活动于多水的环境周围，根据爬行类动物的生活习性主要分为三类：

(1)鳖类。最为典型，且离不开水的种类当属中华鳖，中华鳖分布于平原的河流、池塘和山区一些较大河流、水库内。20世纪60~70年代，在平原地区还很常见，但进入20世纪80年代以后，已是很少见到。

(2)蛇类。蛇类中有许多种喜欢在水边草丛、稻田、湿地边缘活动。其优势种类为虎斑游蛇和红点锦蛇。虎斑游蛇的分布更为广泛，主要分布在山区的山涧溪流中，曾在怀柔区喇叭沟门的深山溪流中捕到一条正在水中游泳的虎斑游蛇。红点锦蛇则主要分布于平原稻田、湖泊、草丛等处。其他可近水活动的蛇类还有黄脊游蛇、赤链蛇、乌梢蛇等。这些蛇类中乌梢蛇最为少见，其次为玉斑锦蛇。这些蛇不只在近水处活动，也活动于远离水的地方。在其他环境中，黑眉锦蛇、黄脊游蛇也常成为优势种或常见种。特别在平原和低山区，黑眉锦蛇更为常见。

北京地区蛇类数量相对较少，一般难以见到。平原地区，由于大量农药、灭鼠药的使用，对蛇类生存构成很大威胁。而在山区，最大的威胁则来自旅游活动的开展，伴随而来的餐饮业发展，收购各种蛇类，以满足食客要求，对野生蛇类的破坏非常严重。

(3)蜥蜴类。蜥蜴类则主要为陆生种类，大多很少到水边活动。只有丽斑麻蜥有时在渠岸边草丛中活动。

7.1.3 哺乳类的种类和分布

由于历史及环境因素，北京地区几乎没有完全水生的哺乳类动物，仅有食虫目水麝鼩一种哺乳类动物适应水生生活，属于半水生哺乳动物。水麝鼩的分布目前已知仅见于门头沟深山山涧溪流，并且与南方种群形成间断分布。

除野生水麝鼩外，北京地区尚有啮齿目麝鼠、海狸鼠和偶蹄目麋鹿与湿地有很密切关系。

麋鹿是中国特有的动物也是世界珍稀动物，主要生活在低洼湿地和沼泽中。由于麋鹿原有的栖息活动范围长江、黄河流域是人类繁衍之地，生息于此的麋鹿自然成了人们为获得食物而大肆猎取的对象，致使这一珍稀动物的数量急剧减少，其野生种群灭绝。值得庆幸的是，早在3000多年前的周朝时，麋鹿就被捕进皇家猎苑，在人工驯养状态下一代一代地繁衍下来，一直到清康熙、乾隆年间，在北京的南海子皇家猎苑内尚有200多头。1900年，八国联军侵入北京，南苑里的麋鹿几乎被全部杀光，一部分被运往欧洲各地。在世界动物保护组织的协调下，英国政府决定无偿向中国提供种群，使麋鹿回归家乡。1985年，北京市政府在北京市大兴区南海子成立了南海子麋鹿苑，通过放养，最终重新建立了麋鹿的自然种群。

麝鼠原产于北美洲，海狸鼠原产于南美洲。北京市有引种人工养殖和作为宠物饲养的麝鼠和海狸鼠。逃逸的麝鼠、海狸鼠已形成野外种群，但数量稀少。麝鼠分布在昌平、大兴、通州、顺义等区县，海狸鼠分布在顺义、密云、房山、昌平等区县。

7.2 经济种类的利用情况

两栖类动物在生态系统中有很重要的作用，它们大量噬吃各种昆虫等，对防止害虫发生、保持生态平衡有很大作用。但利用两栖类动物防治害虫的方法在北京市并没有进行有效地推广。两栖类食品现已越来越多，但均以人工养殖为主。北京近年来从国外引入牛蛙、蜗牛进行人工饲养，已形成一定规模。大蟾蜍在医学、生物学中有很广泛的应用。国产野生动物种类的人工养殖在南方较多，而在北京非常少。

爬行动物的经济价值同两栖类类似，首先它们在消灭鼠害，维持生态系统平衡方面发挥重要作用，其次为重要的食用和药用价值，正因为此原因每年有大量野生蛇类、鳖类等被捕杀。

水麝鼩和麝鼠的毛皮均可加工利用，但水麝鼩分布太狭，数量太少而暂无利用价值。麝鼠由于只是近几年才有逃逸种类，因此分布和数量有限，也无利用价值。

第四章 湿地资源利用

第一节 湿地资源利用方式及其利用现状

湿地资源，是包括水资源、土地资源、生物资源、景观资源、矿产资源、能源资源、人文等多种资源类别的综合体。

湿地资源的利用与开发是维系湿地生态系统的重要目标。湿地资源体现在多个方面，有些是可再生资源，如动物资源、植物资源；有些则是不能再生的，如水资源。再生资源的可持续发展利用、水资源的合理利用，对维系湿地生态系统平衡是非常重要的。

1　土地资源

历史上，北京曾经是山区山清水秀、鸟语花香，平原泉淀海子遍布，芦荡荷塘，稻香京畿，湿地资源较为丰富。新中国成立以来，随着首都经济的迅速发展，城市化进程的加快，特别是气候变化，使北京湿地总量逐年减少。据有关资料，1980 年北京尚有湿地约 13. 10 万公顷，2000 年有湿地约 3. 44 万公顷(调查范围为≥100 公顷的湿地)，本次调查表明，湿地面积已减至 4. 81 万公顷(调查范围为≥8 公顷的湿地)。造成北京市湿地减少、退化的主要原因有以下几个方面：

1. 1　气候干旱，水资源匮乏

据记载，1998 ~2008 年，北京市年平均降水量为 487. 60 毫米，仅为 20 世纪百年平均降水量的 79. 90%。连年干旱，降水减少，水库水位持续下降，导致下游河流断流。1998 年密云水库蓄水量曾达 34 亿立方米，水域面积约 1. 70 万公顷，近年却仅有 10 亿立方米左右，水域面积减至 0. 80 万公顷。

1. 2　人口快速增加，用水需求激增

据北京市人口普查资料显示：1953 年，北京人口为 276. 8 万，而到 2002 年，北京常住人口已达到 1423. 2 万。据 2002 年统计数据显示，北京市用水总量高达 34. 62 亿立方米(其中农业用水量为 15. 45 亿立方米，工业用水量为 7. 54 亿立方米，居民生活用水量为 11. 63 亿立方米)。到 2009

年，北京常住人口已经达到1755万，比1953年人口增加了6倍多，用水需求的激增使北京市用水量已经超过了可利用水资源量，地下水位已降至23米。过度取水以及生产生活挤占湿地生态用水，使得湿地补水不能保证，造成北京市湿地功能衰退，甚至由于缺水严重直接导致湿地消失。

1.3　城市化进程加快，挤占湿地

城市的快速发展侵占了北京市的湿地，北京郊区原有的大量苇塘等生物多样性最为丰富的沼泽湿地现仅剩1246.61公顷，占北京湿地总面积的2.59%，主要分布在野鸭湖和汉石桥两个自然保护区内。市区内原来的海淀六郎庄、巴沟一带过去泉、淀遍布，如今高楼林立，湿地已保存很少。原来茫茫一片的三海子是北京城南久负盛名的沼泽地，现在这片湿地已经被楼房包围，所剩无几。

1.4　湿地保护管理没有法律依据和相关保障机制

湿地保护涉及多个部门，需要共同行动开展湿地保护。目前湿地保护管理在北京市生态建设中还是一个薄弱环节。国家和北京市还没有专门的湿地保护利用的法律、法规，对破坏湿地的处罚依据不充分；湿地恢复、保护缺乏稳定的长效投入机制。

2　水资源

2.1　水资源的动态变化

北京湿地水资源有两个显著特点，持续短缺和污染严重。但加重的趋势已基本被遏制。

水资源的主要来源是大气降水，一般降水中约有70%左右由土壤、植被蒸发掉，余下的部分通过地表径流汇集到河道中形成地表水，一部分下渗转为地下水。据资料记载，20世纪北京地区多年(1956～2000年)平均降水量为585毫米，年降水总量约为98.30亿立方米。其中，地表水资源量17.72亿立方米，地下水资源量25.59亿立方米，扣除二者重复计算量5.92亿立方米，形成的水资源总量为37.39亿立方米。总的来讲，水资源并不丰富。

自1999年以来，北京地区连续干旱，年降水量均低于585毫米的多年平均值。从年度来看，只有2004年和2007年降水量超过500毫米，为平水偏枯年，其他年份均低于500毫米，为枯水年。就降水量最大的2004年而言，年降水量539毫米，年总降水量约为90.60亿立方米。其中，形成地表水资源量8.20亿立方米，较多年平均值(17.72亿立方米)少53.7%；形成地下水资源量16.50亿立方米，较多年平均值(25.59亿立方米)少35.5%；形成水资源总量21.40亿立方米，较多年平均值(37.39亿立方米)少42.8%。各年度水资源相关数据，见表4-1。

从入境水量看，也今非昔比。如：永定河的入境水量，20世纪50年代年均为20亿立方米，60年代年均为13亿立方米，70年代年均为8亿立方米，90年代年均4亿立方米左右，2000年和2001年分别为1.31亿立方米和1.13亿立方米，到2002年已不足1亿立方米(0.97亿立方米)。而全市的河流的入境水量，2002～2005年均仅为4.42亿立方米，较多年(1956～2000年)平均值16.10亿立方米少72.5%。入境水量的减少，受各河流上游(外省)降水量减少的影响很大。同时，

受河流上游水资源开发利用程度越来越高的影响。因此，北京市大中型水库的蓄水量在逐年减少，2000 年年末为 21.30 亿立方米，到 2006 年年末蓄水量仅为 12.60 亿立方米(表 4-1)。

表 4-1 1998～2007 年水资源相关数据统计分析表

项目/年度	降水量		地表水		地下水		水资源		大中型水库蓄水量（亿立方米）
	年降水量（毫米）	比多年平均值增减（%）	地表水资源量（亿立方米）	比多年平均值增减（%）	地下水资源量（亿立方米）	比多年平均值增减（%）	水资源总量（亿立方米）	比多年平均值增减（%）	
1998 年	732	+25.1	—	—	—	—	—	—	—
1999 年	267	-54.4	—	—	—	—	—	—	—
2000 年	438	-25.1	6.40	-63.9	—	—	16.90	-54.8	21.30
2001 年	462	-21.0	7.80	-56.0	15.70	-38.6	19.20	-48.6	19.40
2002 年	413	-29.4	5.30	-70.1	14.70	-42.6	16.10	-56.9	14.20
2003 年	453	-22.6	6.10	-65.6	14.80	-42.2	18.40	-50.8	11.20
2004 年	539	-7.9	8.20	-53.7	16.50	-35.5	21.40	-42.8	12.80
2005 年	468	-20.0	7.60	-57.1	18.50	-27.7	23.20	-38.0	13.90
2006 年	448	-23.4	6.00	-66.1	18.50	-27.7	24.50	-34.2	12.60
2007 年	518	-11.5	7.60	-57.1	20.00	-21.8	27.60	-26.2	12.50
2008 年	638	+9.0	12.80	28.0	21.40	-16.4	34.20	-9.0	14.90
2009 年	448	-23.0	6.80	-62.0	15.10	-41.0	21.80	-42.0	13.50

注：①年降水量多年(1956～2000 年)平均值为 585 毫米；②地表水资源量多年(1956～2000 年)平均值为 17.72 亿立方米；③地下水资源量多年(1956～2000 年)平均值为 25.59 亿立方米；④水资源总量多年(1956～2000 年)平均值为 37.39 亿立方米。

资料来源：《北京市水资源公报》相应的年度资料。

从表 4-2 可以看出，近年来，北京市的年用水量一直保持在 34 亿立方米以上，水资源总量与用水量之间的巨大差额，只能靠超量开采地下水来弥补，地下水已经成为北京市的主要饮用水源。因水资源持续短缺，超量开采地下水仍将继续。

表 4-2 2000～2006 年水资源总量与用水量对比表（亿立方米）

项 目	年形成水资源总量	年供、用水量				年形成水资源总量与年用水量之差额
		合 计	地表水	地下水	其 他	
2000 年	16.90	40.40	13.30	27.20		23.50
2001 年	19.20	38.90	11.70	27.20		19.70
2002 年	16.10	34.60	10.40	24.20		18.50
2003 年	18.40	35.80	8.30	25.40	2.10	17.40
2004 年	21.40	34.60	5.70	26.80	2.00	13.20
2005 年	23.20	34.50	7.00	24.90	2.60	11.70
2006 年	24.60	34.30	6.40	24.30	3.60	9.70

资料来源：《北京市水资源公报》相应的年度资料。

地下水位持续下降，储藏量减少。2005年是自1999年以来地下水位持续下降的第七年(资料截至2005年)，6月末地下水位平均埋深20.94米，是自1978年有观测资料以来的最大值。2005年年末地下水位埋深20.21米，与2004年年末比较，地下水位下降1.17米，地下水储藏量减少6亿立方米；与1980年末比较，地下水位下降12.97米，地下水储藏量减少70.50亿立方米；与1960年年末比较，地下水位下降17.02米，地下水储藏量减少87.10亿立方米。

综上所述，北京是典型的缺水型城市，湿地水资源将持续短缺，预计在南水北调工程完工，保持大量供水后才会有可能缓解。

2.2 水质的变化情况

2.2.1 水质的历史变化

水是湿地的重要组成部分，由于人类活动的影响，水环境污染日趋严重。北京市湿地的水质，从新中国成立到现在，随着社会经济的发展，发生了很大变化。特别是20世纪80年代后，经济迅速发展，外来人口急剧增加，城市化进程加快，湿地遭到了污染，有的河道变成了臭水沟。从时间上看，它经历了清洁、污染和逐渐改善的过程。据有关资料分析，北京市湿地水质在21世纪的头两年是污染最为严重的时期，随着北京市产业结构的调整、水系整治工作的开展和城市污水处理能力的提高，河流等湿地的水质逐年改善，水质达标率逐年提高，但是好转的程度不是很明显。城市景观"湖泊"湿地的水质达标率，1995～2005年呈下降的趋势，2006年后改善明显。作为北京市主要饮用水源地的密云水库、怀柔水库的水质始终保持了饮用水源水质标准，而官厅水库水质虽逐年改善，但仍未达标，近年来一直为Ⅳ类水质的水体。相关数据见表4-3和表4-4。

表4-3 1995～2007年河流等湿地水质达标率统计表

监测年度	河流		库塘(水库)		库塘(城市景观湖泊)		污水处理率(%)
	水质达标率(%)	监测量	水质达标率(%)	监测量	水质达标率(%)	监测量	
1995年	48.10	78段、2110公里	68.70	17座	66.00	19个	20.30
1996年	49.90	78段、2115公里	68.40	17座	71.10	19个	21.10
1997年	43.60	78段、2154公里	66.60	17座	72.10	18个	22.00
1998年	42.40	82段、2160公里	65.90	17座	53.00	19个	22.40
1999年	45.80	82段	65.20	17座	67.30	19个	25.00
2000年	41.60	79段、2095公里	66.10	17座	59.50	19个	40.80
2001年	39.80	71段、2095公里	67.40	17座	49.90	19个	42.20
2002年	36.40	74段、1936公里	66.90	17座	49.30	19个	47.50
2003年	42.20	69段、1838公里	67.20	17座	48.20	19个	56.00
2004年	45.20	76段、1465公里	67.20	19座	35.20	20个	58.00
2005年	45.30	78段	66.10	18座	35.70	21个	70.00
2006年	47.00	70段	88.00	17座	40.80	21个	90.00
2007年	51.00	82段、2028公里	88.50	16座	79.40	21个	92.00

注：湿地水质的达标率，河流湿地按长度(公里)计算、库塘(城市景观水面湿地)按水面面积计算、库塘(水库湿地)按蓄水量计算。

资料来源：《北京市环境质量公报》相应的年度资料。

表 4-4 2006、2007 年河流等湿地水质分类分析表

项 目	监测时间	湿地水质			
		Ⅱ～Ⅲ类	Ⅳ类	Ⅴ类	劣Ⅴ类
河流湿地	2006 年	48.50%	10.30%	—	41.20%
	2007 年	50.70%	6.40%	1.60%	41.30%
库塘(城市景观水面湿地)	2006 年	37.70%	43.00%	19.30%	
	2007 年	76.80%	6.00%	8.20%	9.00%
库塘(水库湿地)	2006 年	88.00%	11.90%	—	0.10%
	2007 年	88.80%	11.20%	—	—

资料来源:《北京市环境质量公报》相应的年度资料。

由表4-3、表4-4 可看出，北京市湿地水资源污染仍严重，但加重的趋势已基本被遏制。据了解，主要是全市的污水处理能力有了很大提高，直接向河道排放的污水大大减少了。

造成水环境污染的原因很多，但最主要的原因还是城市污水的直接排放而为。据统计，随着北京市经济的发展，城市用水不断增长，污水排放也在不断增加。1949～1958 年市区污水排放量年平均仅为0.60 亿立方米，1959～1961 年年均为2.60 亿立方米，1962～1969 年年均为3.20 亿立方米，1970～1981 年年均为6.10 亿立方米，1982～1990 年年均为7.20 亿立方米，1991～2002 年年均为8.90 亿立方米，2003～2006 年年均增加到9.94 亿立方米。这些污水绝大部分未经处理而直接排入市区河道的水体中，造成了河道水体的严重污染，如市区的凉水河、马草河、水衙沟等河道水体呈黑色，臭气袭人，鱼虾绝迹，严重影响沿河两岸居民生活。

北京市的污水处理工作，在20 世纪80 年代末才刚刚起步。调查显示，1990 年亚运会前，日处理污水4 万吨，若按日排放200 万吨计算，污水处理率仅为2%；1995 年城八区日排放污水240 万吨，污水处理率为20.30%；2000 年城八区日排放污水256.34 万吨，污水处理率为40.60%；2005 年城八区日排放污水248 万吨，污水处理率达70%，郊区污水处理率为40%；2006 年和2007 年污水处理率提高迅速，城区污水处理率分别为90%和92%，郊区分别为42%和47%。尽管如此，全市每年仍有1 亿多吨的污水未经处理直接排入河道中。因此，要真正重见河流的碧水清波，仍有很长的路要走。另外，湿地生态系统具有脆弱性，它被破坏在许多情况下往往不可逆转，即使经过治理使其恢复也要经过相当长的时间，需要付出巨大代价。

所以，防治污染，提高水质，改善湿地的生态状况，恢复湿地系统的生态功能，使北京市的湿地能真正地发挥出其综合效益，任重而道远。

2.2.2 水质的地域变化

从表4-5 可以看出，在河流的不同地段水质也存在差异。如：妫水河、白河上段水质在一年中都是Ⅱ类，妫水河下段水质多数时间为Ⅴ类，白河下段水质为Ⅲ或Ⅳ类。一般情况下，河流上游水的流速较大，沿河两岸没有工业及养殖业、远离城镇、人口居住少而分散，受工业废水和城镇生活污水影响较小，所以水质常年较好。妫水河、白河下游水质较差，主要是两河下游分别流经延庆和密云县城，大量工业废水和城镇生活污水直接排入河水中，河流受到污染，再加上河面较宽水的流速漫。所以，水质较差。通惠河、清河由于缺乏生态补水，上下段水的流速均较慢，且距离工业区及城镇较近，人口居住比较密集，大量工业废水和城镇生活污水直接排入河水中，受污染较严重，水质较差，水质一年四季都为劣V类。

表4-5　2006～2007年不同地域河流水质变化情况统计表

监测年度	月份	通惠河		妫水河		白河		清河	
		上段	下段	上段	下段	上段	下段	上段	下段
2006年	10	劣V	劣V	Ⅱ	劣V	Ⅱ	无水	劣V	劣V
	11	劣V	劣V	Ⅱ	V	Ⅱ	无水	劣V	劣V
	12	劣V	劣V	Ⅱ	V	Ⅱ	无水	劣V	劣V
2007年	1	劣V_4	劣V_3	Ⅱ	V	Ⅱ	无水	劣V_3	劣V_3
	2	劣V_2	劣V_3	Ⅱ	V	Ⅱ	Ⅲ	劣V_4	劣V_3
	3	劣V_2	劣V_3	Ⅱ	V	Ⅱ	Ⅲ	劣V_4	劣V_3
	4	劣V_2	劣V_3	Ⅱ	Ⅳ	Ⅱ	Ⅳ	劣V_4	劣V_3
	5	劣V_4	劣V_3	Ⅱ	V	Ⅱ	Ⅳ	劣V_4	劣V_3
	6	劣V_3	劣V_3	Ⅱ	V	Ⅱ	Ⅳ	劣V_3	劣V_3
	7	劣V_3	劣V_2	Ⅱ	Ⅳ	Ⅱ	Ⅲ	劣V_3	劣V_3
	8	劣V_3	劣V_3	Ⅱ	V	Ⅱ	无水	劣V_3	劣V_3
	9	劣V_2	劣V_2	Ⅱ	V	Ⅱ	无水	劣V_3	劣V_2
	10	V	劣V_2	Ⅱ	V	Ⅱ	无水	劣V_3	劣V_4
	11	劣V_2	劣V_2	Ⅱ	V	Ⅱ	无水	劣V_1	劣V_3
	12	劣V_2	劣V_3	Ⅱ	Ⅳ	Ⅱ	无水	劣V_3	劣V_3

资料来源：《北京市环境质量公报》相应的年度资料。

2.2.3　水质的季节变化

北京市的河流水质在季节分布上存在着差异，一般来讲，春秋两季水质较差，夏冬两季水质较好。

春季，由于河流水量减少，又缺乏生态补水，河流水的流动性差，无法冲走直接排入河水中的工业及养殖业废水和城镇生活污水，再加上农业生产活动频繁，污染源增加，农业生产的残留物增多，这是导致春季河流水质下降的主要原因。

夏季，因汛期的到来，雨水较丰沛，河流水量增加，水流速较快，冲走直接排入河水中的工业及养殖业废水和城镇生活污水，因此，河流水质总体向好的方向发展。据介绍，由于连续干旱，北京城市河道尤其是内城河道常年保持较低水位，基本处于不流动状态，部分河道因此出现淤泥、富营养化等现象。2004年7月份的降水，特别是7月10日在城区降落的特大暴雨，将北京市区的河道彻底冲刷了一遍。通过管理部门的合理调度，昆玉河、南护城河、北护城河、小月河、通惠河等河段均完成了对旧水的置换，北京市河道补充新水超过200万立方米，是北京城市河道数年来首次在自然状态下，全部置换了一遍水，河流的水质明显提高。另外，2007年8月1日京城普降大雨，据笔者次日观察，雨后凉水河通州段水位上涨了1米多，往日漆黑的污水被雨水所置换，呛鼻的臭味也减轻了许多。

秋冬季，冬季的水质一般较秋季好。据市环保局发布的2006年11月北京河流、水库、城市景观“湖泊”等水质报告显示，在11月份，圆明园(福海)的水质达到Ⅲ类标准，而10月份，它还是最差的劣Ⅴ类水质。同时昆明湖的水质也由10月的Ⅲ类上升为Ⅱ类，玉渊潭湖则由Ⅳ类转好为Ⅲ类。城市景观“湖泊”的水质则与10月大体相当。水库方面，延庆的官厅水库10月为劣Ⅴ类水质，11月转好为Ⅳ类水质，昌平的十三陵水库也由Ⅲ类升为Ⅱ类，此外，珠窝水库、丁家洼水库的水质也有不同程度的好转。河流方面的水质两月来没有明显的变化。对于水质的好转，市环保局有关负责人解释说，这主要是由季节变化造成的。因为天气转冷，水中藻类等物质的氧化作用减弱，这可以改善水质。同时，气温降低使得有些水面结冰，水流动减少，污染物的流动也随之减少。

若河流污染严重，其水质几乎不受季节或地域的影响，如通惠河、清河等河流，多年来整条河流的水质始终为劣Ⅴ类。

2.3 水资源评价

北京是一个水资源缺乏的城市。随着人口的增加，工农业生产发展，需水越来越多。水资源量有限，因此，地下水超量抽取已成事实。这对北京城市建设、工农业生产、绿化等都有严重的影响和制约。湿地的存在能够很好缓解地下水的过量利用，还能对有污染水进行自然净化，对北京的环境改观具有重要作用。由于水资源减少，特别是近几年降水量下降，不足500毫米，使得水库入库量减少，则水库放水受到控制。因此，许多水库下游河流几乎干涸，使得下游地区地下水的补充受到制约，相反地下水抽取会更加过量，使得某些地区地下水水位大幅度下降，形成一种恶性循环。因缺水而使下游大量湿地干涸，造成地下水位下降，制约工农业生产发展，制约城市的可持续发展。

2.4 水资源保护

加强对水资源上游两岸地区保护水资源意识的宣传尤为重要。搞好水源地区涵养林的建设，扩大绿化面积；重点治理排污单位，提高治污的能力，控制上游污染水的进入；减少生活污水向下游的排放；栽种适量面积挺水植物，增加湿地本身的水净化作用等。这些都是开展水资源保护的有效措施。

3 动物资源

动物资源是指全部生活在湿地范围内的动物种群，包括脊椎动物和无脊椎动物，这里主要是指除去鱼类的其他脊椎动物种群。本次湿地调查共记录到湿地野生动物24目39科202种。其中，湿地鸟类9目15科107种；鱼类9目15科77种；两栖类2目5科8种；爬行类3目3科9种；哺乳类1目1科1种。这些湿地野生动物是湿地中的重要动物资源。两栖动物消灭害虫的能力是大家所公认的。爬行动物灭鼠、灭虫的能力也是相当大的。因此，保护动物资源，实际也就是保护湿地生态系统的稳定，使其向着良性方向发展。

鸟类在湿地中是重要的顶级生产者，在生态系统食物链中地位很重要，对生态系统的平衡有着很关键的作用。鸟类种类多，数量大，以观鸟为目的的旅游活动，是湿地旅游的一个重要方面，应大力提倡。狩猎活动在现有情况不易开展。因为北京地区的湿地鸟类分布比较集中，如官厅水库、怀柔水库等。这些地区一旦开展狩猎，则很可能使这一地区鸟类受到惊扰而离开这一栖息地，从而失去重要的鸟类资源。

调查发现部分动物种群数量扩大：黑鹳是国家Ⅰ级保护野生动物，据记载在北京早有分布。本次调查发现在白河、清水河、永定河、拒马河等多处有黑鹳分布，其中在白河汤河口段的黑鹳种群有 12 只，这样大的种群尚属首次发现。

动物资源潜在的遗传多样性资源现在还研究很少，其价值无法估计，保护动物资源就是保护潜在的巨大遗传信息价值。

在现在情况下，对动物资源开发利用的最好方法，即是开展以保护动物为主题的观鸟旅游活动，在相应湿地中设立观察点，方便观鸟者观察。同时，开展保护动物的宣传教育，既能提高大众的动物保护意识，又能收到一定经济效益。

4　植物资源

调查显示，北京湿地植物(湿生、水生植物)66 科 196 属 368 种，占全市植物种数的 17.62%。主要有莎草科、禾本科、菊科、蓼科、唇形科、伞形科、玄参科、藜科、十字花科、眼子菜科等。主要有芦苇、香蒲、莲、菖蒲等种群。均属多年生草本植物。由于北京大中型水库多属山区截流形成的水库。因此，浅滩很少，水深变化很快，因而挺水植物很少。目前，挺水植物主要集中在汉石桥、野鸭湖保护区内。平原地区 20 世纪 60～70 年代尚有许多大面积低洼地存在，生长有湿地植物。但随着城市发展和下游供水的缺乏，许多低洼地被填平建设，更多则因缺水而干涸，现还保留较大面积的湿地植物，如顺义的汉石桥、延庆的野鸭湖。

芦苇可以作为造纸的原料，减少对木材的需求。香蒲和菖蒲可以编席，用于种植业和建筑业。有条件的湿地，如水库的浅水区，可以适量种植这些植物，即可净化水，也可招引更多的湿地鸟儿，还可推动旅游业发展获得较好的经济效益。

此外，在较大面积的湿地也可适量种植部分有价值的其他经济植物，如菱角、莲、茭白、慈姑等。植物对污水的净化作用也很高，它可以使湿地充分发挥净化水质的作用。

5　旅游资源

除密云、怀柔两大水库由于为北京提供主要饮用水的原因，没有开展旅游活动外，围绕其他大中型水库或多或少都有旅游活动进行。山区溪流，水库等处，往往山清水秀，植被生长良好，空气清新。与大城市环境相比，使人耳目一新，可以起到调节情趣，减轻压力，放松心情等心理调节作用。这些湿地环境成为很好的旅游热点。

作为大城市周围的湿地，北京已充分地为旅游开放。甚至在某些地区已经过量超载，对湿地环境造成巨大压力。如官厅水库库边开展的旅游活动，主要集中在水库滩处，影响了湿地植被正常生长，而对湿地动物的生存发展则有更大的影响。控制湿地旅游资源的开发，加强湿地旅游管理是湿地资源保护的重要工作。

第二节 湿地资源可持续利用前景分析

1 湿地资源可持续利用的潜力分析

1.1 区位优势明显

首先，北京作为中华人民共和国首都、中央直辖市、中国国家中心城市，中国政治、文化、教育和国际交流中心，位于华北平原北端，东南与天津相连，其余为河北省所环绕，古人所言："幽州之地，左环沧海，右拥太行，北枕居庸，南襟河济，诚天府之国。"北京荟萃了自元明清以来的中华文化，拥有众多名胜古迹和人文景观，是全球拥有世界文化遗产最多的城市。同时，人们出游率高，旅游消费比例增长较快，是中国较大的旅游客源地。

其次，北京市的陆、空交通优势非常明显。截至2009年，北京共有两个机场：首都国际机场和南苑机场，分别位于顺义区和丰台区。首都国际机场距离北京市平原地区唯一的大型芦苇沼泽湿地——汉石桥市级湿地自然保护区仅20公里。北京地铁是世界上规模最大的城市地铁系统之一，共有17条运营线路，各个湿地均可以通过地铁线路来转达。比如地铁4号线途经北京市最有代表性的湖泊湿地——颐和园；地铁8号线途经奥林匹克公园。另外，北京市公路网络提升了湿地公园与周边景区在今后旅游线路安排上的整合空间。发达的铁路系统也为湿地公园的开发提供了交通保障。比如去往延庆县白河堡水库县级自然保护区可以通过铁路来转车到达。

1.2 湿地公园与城镇建设相互融合，发挥功能最大化

湿地公园的建设与各区县城区紧紧联系在一起，交通联系非常方便，在湿地公园内部进行生态保护与可持续利用均可便利地依托各区县城区各项公共服务设施和社会基础设施，可通过设施共享显著降低湿地公园配套设施的建设成本。同时，湿地公园的设计和建设必须响应可持续发展的策略，在相关理论技术的支撑下，认真分析研究湿地区域内城市建设各元素的分布范围和特点，生境和需求条件及组成比例，进而了解湿地与周边环境的相互影响，为科学规划设计打好基础。建成的湿地公园必须是高于自然湿地的景观而又不违背湿地动植物的活动和生长规律的场所，如：野鸭湖市级湿地自然保护区为89种湿地鸟类提供了丰富的食物来源和营巢、避敌的良好条件，其中有许多珍稀水禽，如鹤、鹳、雁、鸭类。

1.3 湿地生态环境优良，乡土景观优美

北京市的湿地资源生态环境优良，据资料统计显示，2007年北京市几大重要生态湿地均达到了优良级别，其中颐和园生态环境质量好，属于Ⅰ级；北海公园、紫竹院和玉渊潭较好，属于Ⅱ级；青年湖公园和朝阳公园生态环境一般，属于Ⅲ级。颐和园是具有多样性景观的典型天然湖泊湿地，其中水域景观和原生湿地完美融合。湿地内鸟类众多，有白鹭、野鸭等。湿地内自然环

境景观丰富，湖中有墩、墩中有湖，形成了水陆交错的独特湿地景观。

1.4　生态旅游项目“百花盛开”

生态旅游越来越受到公众的关注和喜爱，逐渐成为最为热门的旅游方式之一。在湿地内部开展旅游契合了生态旅游发展的需要，同时通过湿地公园的保护规划，可以加强湿地公园生态环境的建设，同时可以改善城市环境和促进城市的可持续性发展。野鸭湖湿地自然保护区是体现这个理念的典型代表，按照《野鸭湖湿地自然保护区总体规划》，用6年时间，完成对现有自然生态环境的进一步培育和优化，使其达到国际湿地建设标准，到2010年建成符合国际标准的国家级湿地公园。另外，最值得关注的还有国家奥林匹克公园内的湿地生态环境，不仅使公园的生态效益最大化，也使得自然的意境在规划建设中得以深刻体现，是城市湿地的典型代表作。颐和园的园林环境与周边湿地生态是紧密相连的，是人文与自然的和谐之声。

2　湿地资源的可持续利用对策

2.1　加强宣传教育，提高人们的保护意识

湿地资源保护的有效性和合理利用水平的提高，很大程度上取决于公众和管理决策者的认识和观念的转变。湿地保护是一项新兴事业，湿地保护和合理利用的宣传、教育工作滞后于经济发展和资源保护形势的要求，宣传教育工作应从“广度、力度、深度”三方面着手，使人们了解湿地保护的意义，了解湿地的各种功能与效益，认识保护湿地与人类自身生存、发展的关系，增强全社会和全民湿地保护的责任感和使命感，提高湿地资源保护和持续利用意识，从自我做起，不断增强社会公众积极参与湿地保护行动意识。要采取多种形式，讲求实效，积极组织开展湿地保护宣传，利用每年的“爱鸟周”“保护野生动物宣传月”和“世界湿地日”等活动，通过新闻媒体，广泛宣传湿地保护的重要性。应确定“北京湿地日”，结合国际、国家保护宣传活动，创建首都北京特色宣传活动，努力在全社会形成保护湿地、爱护湿地，从自我做起，从身边做起的良好风尚。

2.2　建立湿地保护的管理协调机制

湿地保护管理、开发利用牵涉面广、部门多、情况复杂，迫切需要在政府部门之间建立协调与合作机构，保障湿地保护工作的顺利进行。各部门应按《北京市湿地保护行动计划》制定的原则和要求，明确各自管理责任。各行业、业务主管部门需按本部门职责分工，充分利用现有能力，除必须设置的机构外，需明确内设机构或专职人员。主要湿地的区县以及乡镇，需设相应的管理机构和人员，明确湿地保护职责。保护区机构应与现有建设和管理工作相衔接。要逐步建立一支专业过硬、管理高效的湿地保护管理队伍。

2.3　建立并完善湿地保护与利用的政策和法制体系

加快湿地保护的立法进度、制定完善的法制体系是有效保护湿地和实现湿地资源可持续利用的关键。目前国家已颁布与湿地保护有关的法律15部、法规条例18部。北京市应制定有针对性的湿地保护法规、规章或相应的实施办法，尽快由市政府制定下发如《关于加强湿地保护管理工

作的意见》等相关文件，明确具体措施，使湿地保护与合理利用逐步实现有法可依、有章可循。

2.4 加强湿地保护区的建设和管理，保护生物多样性

天然湿地锐减和生物多样性降低是北京市湿地所面临的主要威胁之一，而通过建立湿地保护区可使湿地生物及其生境得到有效保护。为此，要在详查的基础上，查清北京市具有重要生态意义的湿地现状并全面评价其功能和效益。要根据这些湿地的特征和生态功能来确定各湿地重要程度，并对其采取有效的保护和管理，而对一些符合国际重要湿地标准的湿地，要积极争取列入国际重要湿地名录。要进行湿地预留最小面积和保护空缺分析，编制湿地保护区、湿地保留区的建设规划，建立起布局合理、类型齐全、重点突出、面积适宜的湿地保护区网络体系。要建立起完善的湿地保护区管理机制。完善保护和管理设施，提高现有保护区的保护功能，进而使生物多样性得到有效保护。此外。要运用"3S"技术加强湿地资源动态和湿地水文动态等方面的监测，为湿地保护区的科学管理提供技术支撑。

2.5 加强湿地资源的综合保护，开展退化湿地的恢复与重建

鉴于北京市湿地资源的现状及存在的问题，采取多方面有效措施，加强湿地资源的综合保护，开展退化湿地的恢复和重建，减轻人为因素对湿地的负面影响就显得非常必要。为此，要将湿地保护与合理利用纳入到北京市土地利用、生态治理、资源恢复等方面的管理规划中，通过实行环境影响评价制度评估湿地资源利用与保护中存在的问题，并以此来寻求解决方案。要加大退耕还林、还草、还湖和还沼的力度，强化各级管理部门的责任感，并通过营造生态保护林和水源涵养林的方式，防止水土流失，减少河湖淤积。要制定与水资源保护相关的水资源管理战略，加强水资源开发对湿地生态环境影响的预测和监测，并通过建立最优河流水量分配方式来维持流域重要湿地的自然状态及生态功能。要严格控制湿地周围的污染源、污染物数量和排污途径，而对于已受污染的湖泊和河流等，要有计划地进行治理并恢复其生态功能。此外，在不同地区要有重点地选择一些有代表性的退化湿地，开展恢复和重建工作，如实施大兴三海子郊野公园生态恢复、汉石桥湿地植被恢复及水质改善、野鸭湖湿地生态修复和湿地博物馆建设及翠湖国家城市湿地公园建设等工程。

2.6 加强湿地科学研究和专业人才的培养，积极开展交流与合作

加强湿地科学研究是认识和了解湿地的主要途径，也是促进湿地保护与可持续利用的重要保障。为了更好地保护和利用北京市的湿地资源，必须加强湿地研究的交流与合作，通过引进国内外先进的技术和管理经验，积极开展北京市湿地资源的环境监测与评价，并诊断其健康状况，预测其发展趋势，从而为湿地资源的有效管理与合理利用提供科学依据。我们要履行《湿地公约》的责任和义务，学习国内外湿地保护管理的先进技术和经验，加强北京市的湿地监督管理工作；同时我们要积极争取国家和周边地区的关心支持，争取国际援助，开展国际合作，争取在资金和技术上对湿地保护和恢复工程给予援助和支持，为湿地保护和可持续发展做出贡献。

第五章 湿地资源评价

第一节 湿地生态状况

1 河流湿地的生态状况

北京市河流湿地总共有 5 个，分别是永定河湿地、潮白河湿地、北运河湿地、大清河湿地和蓟运河湿地。根据 2002 年对永定河湿地上游至中游的水质监测显示，pH 值在 7.73 ~ 9.19 之间，氨氮含量在 0.28 ~ 0.89 毫克/升之间，溶解氧在 5.05 ~ 6.94 毫克/升之间，电导率在 0.2691 ~ 0.7294 西门子/厘米之间，叶绿素在 11.5 ~ 23.8 微克/升之间。总体来看永定河中上游水体基本达到了富营养化水平，处于地表水 Ⅲ 级标准，为轻度污染。北运河水系透明度均值为 46.2 厘米，北运河平均溶解氧为 6.20 毫克/升，总磷的平均值 2.38 毫克/升，总氮的平均值为 19.57 毫克/升，pH 值呈碱性，变动范围在 7.56 ~ 8.82 之间，平均值 7.84。用浮游植物、浮游动物 Shannon - wiener 多样性指数评价河流水质状况，评价结果为：北运河的 COD_{Mn}、NH_3-N、NO_3-N、TP 和 TN 含量大于我国地表水环境质量 V 类标准的 2.12 ~ 9.79 倍，主要污染物为总氮、氨氮和总磷。TST 指数表明北运河水质在一年四季都是富营养型的，总体趋势是夏季最高，秋季次之，冬季最低。北运河的水质普遍较差，大部分为中污染，部分断面为重污染，水体质量在中—重污染之间。蓟运河湿地化学需氧量为 83.52 毫克/升，总氮含量为 14.05 毫克/升，总磷含量为 0.59 毫克/升。

2 湖泊湿地的生态状况

颐和园昆明湖是北京地区仅存的天然湖泊，面积 0.02 万公顷，占湿地总面积的 0.41%。根据资料调查和实地调查结果显示，颐和园的生态环境质量好，评价结果为“优”。根据 2001 ~ 2005 年的水质监测显示，水体中溶解氧、高锰酸盐指数、生化需氧量和氨氮 4 项常规指标已连续 5 年均符合Ⅲ类水体水质标准，挥发酚、氰化物、砷、汞、镉、铬、铜、铅、锌、石油类、阴离子洗涤剂等指标均未检出；富营养化指标总磷、总氮 5 年来呈明显升高趋势。2003 年昆明湖综合营养状态指数为 47.63，营养级别均属于“中营养”水平。2004 年和 2005 年 4 ~ 8 月昆明湖出现明显富营养化现象。该湖区主要受到污染和泥沙淤积的威胁。水土流失导致泥沙淤积，使水深降低，湿地减少；旅游开发，游客丢弃的垃圾是湿地污染的来源之一，水环境受到污染，导致水质下降。受威胁状况等级：轻度。

3 沼泽湿地的生态状况

调查显示，北京市沼泽湿地面积为 0.13 万公顷，占湿地总面积的 2.59%，其中，汉石桥湿地是北京地区最典型的草本沼泽湿地，面积 279.79 公顷。水源补给状况：综合补给；积水状况：永久性积水；蓄水量：500 万立方米；地表水水质级别：Ⅲ 类；地下水水质级别：Ⅲ 类。根据 2007 年的监测显示，汉石桥湿地平均透明度为 19 厘米。汉石桥湿地有鸟类 62 种，鱼类 19 种，两栖类 3 种，爬行类 5 种，无脊椎动物（贝、虾、蟹类）6 种；湿地内有植物 73 科 199 属 307 种。受到旅游活动、外来物种入侵、污染的威胁。人为活动频繁，游客踩踏致使湿地植被退化，喧闹的声音会惊扰湿地野生动物，严重干扰湿地鸟类的正常栖息、生存繁衍，使鸟类减少；外来物种入侵，葎草绞杀芦苇；生活污水排放到湿地，湿地水体受到污染，使水质下降。受威胁状况等级：轻度。

4 人工湿地的生态状况

全市人工湿地面积 2.39 万公顷，占湿地总面积的 49.76%，主要有库塘、运河/输水河、水产养殖场 3 个湿地型。密云水库是北京市唯一列入《中国重要湿地名录》的湿地，是北京具有代表性的人工湿地之一。水源补给状况：大气降水；流出状况：间歇性；积水状况：永久性积水；地表水水质级别：Ⅱ 类；地下水水质级别：Ⅱ 类。湿地鸟类 37 种、鱼类 48 种、两栖类 3 种、爬行类 4 种、无脊椎动物（贝、虾、蟹类）10 种。湿地内有植物 64 科 142 属 215 种。受到干旱和泥沙淤积的威胁。连年干旱，上游来水量减少，导致水库库容量减少，水资源短缺、供水不足；水土流失导致库底泥沙淤积，湿地减少。湿地受威胁状况等级评价：轻度。

5 湿地生态环境状况

5.1 评价方法

5.1.1 评价指标选取

湿地生态环境状况直接反映了湿地生态系统的健康水平，也是评价湿地生态功能是否正常发挥和满足人类需要的重要依据。依据北京市第二次湿地调查成果数据，综合利用自然湿地面积、生物多样性、水环境及湿地利用和受威胁状况等方面指标（表 5-1），对第二次重点调查湿地进行湿地生态状况的综合评价。

表 5-1 重点调查湿地指标体系一览表

一级	二级	三级	因子
自然指标	景观指标	自然湿地率	自然湿地面积/湿地总面积
		湿地密度	平均斑块面积/湿地总面积
		湿地斑块密度	湿地斑块数/湿地总面积

（续）

一级	二级	三级	因子
自然指标	生物多样性指标	单位面积物种多度	物种数量/湿地面积
		植被覆盖度	植被面积/湿地面积
		外来物种入侵	有、无
	水环境指标	污染物	有、无
		富营养	贫、中、富3级
		水质级别	Ⅰ、Ⅱ、Ⅲ、Ⅳ、Ⅴ5级
人为干扰指标	社会指标	人口密度	人口数量/重点调查面积
		利用情况	工(旅游)、农、水、未4级
	威胁指标	威胁因子数量	数量
		威胁程度	安全、轻、重3级

5.1.2　评价指标分级量化

根据各评价指标特征，采用聚类分析法(SPSS 16.0)和德尔菲法，对评价指标进行分级和赋值：

(1)自然湿地率、湿地密度、湿地斑块密度、单位面积物种多度、植被覆盖度、人口密度六个指标根据大小分为五级，分别赋值1、3、5、7、9；

(2)外来物种入侵、污染物两个指标分两个等级，“有”赋值2，“无”赋值8；

(3)营养状况分三级，贫营养赋值8，中营养赋值5，富营养赋值2；

(4)水质级别分五级，分别赋值9、7、5、3、1；

(5)利用情况分四级，工业(旅游)赋值3，农业(种植、牧业、林业)赋值5，水源地赋值7，未利用赋值9；

(6)威胁因子数量，分为十级，采用“10－数量”来赋值；

(7)威胁程度分为三级，安全赋值8，轻度赋值5，重度赋值2。

5.1.3　湿地综合得分计算

采用层次分析方法(AHP)，确定出指标权重(表5-2)，而后根据指标量化值和指标权重计算每处重点调查湿地生态状况综合得分。

表5-2　指标体系权重表

一级	权重	二级	权重	三级	权重
自然指标	0.6	景观指标	0.10	自然湿地率	0.030
				湿地密度	0.012
				湿地斑块密度	0.018
		生物多样性指标	0.45	单位面积物种多度	0.108
				植物覆盖度	0.108
				外来物种入侵	0.054

（续）

一级	权重	二级	权重	三级	权重
自然指标	0.6	水环境指标	0.45	污染物	0.054
				富营养	0.081
				水质级别	0.135
人为干扰指标	0.4	社会指标	0.4	人口密度	0.064
				利用情况	0.096
		威胁指标	0.6	威胁因子数量	0.084
				威胁程度	0.156

5.1.4 湿地生态状况综合评价

根据综合得分，对重点调查湿地的生态状况进行综合评定，在 GIS 10.0 软件支持下，采用自然断点法(natural breaks)对重点调查湿地的生态状况综合得分进行划分，分为好、中、差 3 个等级。

5.2 评价结果

5.2.1 生态状况等级分类

通过对北京市重点湿地调查发现，整个区域的重点湿地综合得分在 2.866～4.525 之间，平均值为 3.924(表 5-3)。根据自然断点法，将综合得分分成 3 类：4.192～4.603、3.008～4.192、2.866～3.008，分别代表好、中和差 3 个生态状况等级。与全国湿地生态状况相似，北京市湿地总体上处于中等水平，生态状况评级为“好”的湿地占到重点湿地总面积的 89.85%，评级中等档次的湿地占到重点调查湿地面积的 7.24%，获得“差”等级的湿地面积占到重点调查湿地总面积的 2.91%。在空间分布上，北京市重点湿地的生态状况没有明显的特征。

表 5-3 重点调查湿地综合得分情况

重点湿地综合得分分级	综合得分区间	湿地个数	重点湿地名称	面积百分比(%)
好	4.192～4.603	3	密云水库 4.603 野鸭湖 4.525 怀沙－怀九河 4.312	89.85
中	3.008～4.192	3	白河堡 4.104 金牛湖 3.781 拒马河 4.192	7.24
差	2.866～3.008	2	翠湖 2.866 汉石桥 3.008	2.91

5.2.2 生态状况成因分析

自然因素是脆弱生态环境形成的内因，人为因素是外因，是触发性因子。而对于北京市的湿地，人为干扰则成为生态环境状况较差的最主要因素。根据评价分级可以看出，汉石桥市级湿地自然保护区和翠湖国家城市湿地公园的生态状况都属于“差”等级，这可能与此类湿地的利用情况有关，其开发利用的主要生态功能之一为旅游休闲，这造成了较大程度的人为干扰。这不但增加了湿地区的旅游负荷，而且也带来了污染、水质变化等不利影响，增加了湿地的受威胁程度。

其他得分分级为“中”的湿地则分别受到不同因素的影响。拒马河市级水生野生动物自然保护区主要受到污染、旅游开发、挖沙的威胁；白河堡水库县级自然保护区主要受到泥沙淤积和旅游活动的威胁；金牛湖县级自然保护区主要受到污染和泥沙淤积的威胁。

第二节
湿地受威胁状况

湿地除了受干旱等自然因素的威胁外，同时，还受到人为因素的影响。调查结果表明，北京湿地的人为威胁因素主要有：城市建设开发占用湿地；盲目开垦和改造湿地；湿地旅游开发；直接向湿地排放污水；过度开采地下水；兴修大量水泥衬砌的水利工程；化肥、农药及除草剂的施用；湿地有害物种入侵等。

1　水资源紧缺是威胁北京湿地的首要因素

北京是一个严重缺水的城市。以北京市多年平均可利用水资源总量37.39亿立方米计，2002年全市常住人口1423.2万，人均水资源量仅为262.7立方米，远低于国际公认的人均1000立方米的缺水下限。

北京五大水系中，除北运河水系发源于本市外，其他水系分别主要发源于河北、山西和内蒙古，均为过境河流。这就决定了北京的水资源供应除受制于本地的降水量外，还在很大程度上受上游各省、自治区的影响。1999年以来，北京连续干旱，年降水量不足400毫米；同时，由于上游地区干旱和人口、社会经济的发展，各大水系来水锐减。以北京最大的两个水库为例，密云水库20世纪60~70年代平均来水量为12亿立方米，80年代为6亿立方米，而1999年仅0.73亿立方米，2002年仅0.78亿立方米；官厅水库来水量也由20世纪50~60年代平均近20亿立方米减少到70~80年代8亿~10亿立方米，1999年和2002年分别仅为1.46亿立方米和0.97亿立方米。地表水资源量的严重不足，使北京长期依靠超采地下水来满足日益增长的生产和生活用水需求，导致地下水水位大幅度下降。到2002年年底，地下水埋深达17.48米，比1980年初下降11.03米，一些地区的含水层已经疏干或半疏干。

由于干旱和入库水量减少，北京各水库水位普遍持续下降，水面面积明显缩小。2003年1月1日全市16座大中型水库共蓄水14.20亿立方米，比2001年减少5.54亿立方米，比1999年初减少22.20亿立方米。由于水库缺水，放水量减少甚至无水可放，导致许多下游河流断流，平原地区原有的许多大面积低洼地消失，库塘湿地退化，对湿地生物多样性构成严重威胁。

2　环境污染危及湿地野生生物的生存

在威胁北京湿地生物多样性的各种因素中，环境污染是一个非常重要的因素。北京湿地目前面临的污染主要来自农业污染和生活污染，同时乡镇企业的污染及上游地区污染的影响不容忽视。而且，随着近年来旅游热急剧加温和人口膨胀，旅游和垃圾倾倒填埋导致的污染对北京湿地的压力也越来越大。

根据1996～2003年的监测结果，北京市河流主要污染指标为NH_3^-、N、高锰酸钾指数和BOD_5，水库和湖泊主要污染指标为BOD_5、高锰酸钾指数、总氮和总磷。2003年主要监测的27个湖泊和水库中，基本未受污染、轻度污染和重度污染的分别为13、13和1个；主要监测的50条河渠中，无水、基本未受污染、轻度污染、中度污染、重度污染、严重污染的分别为5、11、9、2、18和5条，其中重度污染和严重污染的河渠占主要监测有水河渠总数的51%。由于污染严重，官厅水库被迫于1997年退出北京饮用水水源地，而密云水库的局部区域近几年也受到蓝藻水华的威胁。北京湿地环境的污染不仅严重威胁着湿地生物多样性，而且威胁到北京的饮用水安全，形势十分严峻。

3 人口增长、城镇化进程加快对湿地承载力带来威胁

截至2009年，北京常住人口已经达到1755万，比1953年人口增加了6倍多，人口的快速增长，城镇化建设迅猛发展，带来了占地、用水、基础设施建设等一系列与湿地直接相关的因素的变化，北京市用水量已经超过了可利用水资源量，地下水位已降至23米。生产生活挤占湿地生态用水，导致湿地补水不能保证。人们对生态宜居的环境迫切需求，休闲旅游人数的增加，都对湿地环境带来不小威胁。

第三节 湿地资源变化及其原因分析

北京市湿地保护虽然取得了一些成效，但是，由于自然和社会等多种因素的影响，目前依然面临退化和减少的威胁，湿地保护管理的形势仍然十分严峻，任务还很艰巨。

1 湿地面积锐减，湿地景观丧失

由于人口的快速增长和经济的发展，湿地被开垦为农田或作其他用途，围垦造田、兴建水电站，湿地植被被破坏，生态功能衰退，鱼类等水生生物丧失了栖息生存的空间与繁衍的场所，湿地自身的生态功能也在不断衰退。历史上北京湿地资源较为丰富，据有关资料，20世纪50年代初，京郊还有众多的苇塘，水生动植物丰富。1980年北京尚有湿地约13.10万公顷，2000年有湿地约3.44万公顷(≥100公顷)，本次调查表明，湿地面积已减至4.81万公顷(≥8公顷)，仅占全市总面积的2.93%。

人工湿地受水资源短缺、种植业结构调整等因素影响更大。据有关资料，1980年全市水田种植面积5.30万公顷，到1990年减为3.27万公顷，2000年水田面积为1.58万公顷，2007年的全市湿地资源调查显示全市水田种植面积仅为0.22万公顷。1980～2007年，28年间全市水田种植面积减少了95.8%。

2 湿地污染和泥沙淤积严重，严重影响其生态功能

由于水土流失导致河流中的泥沙含量增大，造成河床、库底淤积，使得北京湿地面积不断减

小，贮蓄水能力降低，生态功能逐渐衰退。根据水务部门实测河流泥沙资料分析，每年有大量泥沙淤积在下游平原河道和水库中。水库是北京重要的人工湿地，目前其泥沙淤积的状况也已令人担忧。据记载1982年官厅水库淤积已占总库容的26%。目前，在各大中小型水库上游及其周边地区加快了水源涵养林、水土保持林建设，对缓解泥沙淤积起到了一定作用，但泥沙淤积问题依然存在。

湿地被肆意侵占，并常成为沿河建筑垃圾、工业废水、生活污水的排泄区和承泄地，污染在不断加剧、环境在不断恶化。长期承泄工农业废水、生活污水，导致湿地水体污染，生态系统富营养化现象严重，危及湿地生物的生存环境。据市环保局2006年、2007年对全市河流、水库等水质监测，河流湿地劣V类水质仍占41%左右。五大水系中，只有潮白河水系水质最好，达标河段长度为100%；蓟运河水系、大清河水系、永定河水系达标河段长度分别为51.20%、24.90%和21.40%；北运河水系水质最差，达标河段长度仅为15.10%。湿地周边农作物由于施用化肥、农药、除草剂等化学物质，对土质及流经的水域形成污染，被污染的水系又把污染物注入了湿地，严重危害湿地水质安全，湿地污染不仅造成了水质恶化，也对湿地生物多样性造成了严重危害，甚至在一定程度上对人类健康也造成不良影响。河流、水库湿地淤积，使得湿地面积不断减少，贮蓄水能力降低，湿地生态功能下降。另外，工农业生产的快速发展带来的大量污染物也导致了北京市湿地的维持生物多样性功能下降，如北京湿地中曾经数量很多的两栖类标志性动物金线蛙几乎消失。

3　法律、法规不健全

目前，我国已有多部法律、法规涉及与湿地有关的资源问题，比如《中华人民共和国环境保护法》《中华人民共和国森林法》《中华人民共和国野生动物保护法》《中华人民共和国水污染防治法》《中华人民共和国渔业法》《中华人民共和国海洋环境保护法》《中华人民共和国水污染防治法实施细则》《中华人民共和国陆生野生动物保护实施条例》《中华人民共和国水生野生动物保护实施条例》《中华人民共和国自然保护区条例》《海洋自然保护区管理办法》等等，但到目前为止，没有一部是专门针对湿地设立的，其中有关湿地保护的条款比较分散，不系统，相互交叉、重复，实用性差，使用时往往感到无法可依，难以起到实质性的作用。因此，需要制定专门的湿地保护法，确定湿地土地所有权，环境影响评价制度，湿地生态补偿制度，以及法律责任制度等。

4　面临外来入侵种的威胁

本次调查发现了三裂叶豚草、豚草、黄花刺茄、欧苍耳等外来入侵种。三裂叶豚草及豚草为一年生草本，茎直立，株高30～100厘米，被糙毛。原产于北美洲，是一种归化植物，不仅是危害性检疫植物，而且是外来侵入种植物。三裂叶豚草、豚草、黄花刺茄、欧苍耳都具有适应力强，繁殖快，占据空间大的特点，对湿地资源造成破坏、减少等危害。

5　资金投入机制不健全

湿地保护管理经费不足是湿地保护与管理工作面临的主要问题。由于对湿地保护管理工作起步较晚，湿地保护管理机构、湿地保护恢复工程建设等没有形成健全的资金投入机制。

第六章 湿地保护与管理

第一节 湿地保护管理现状

近年来，北京市湿地保护工作按照国家和北京市政府有关精神，根据资源现状和首都特点，坚持“保护为本，突出重点，生态优先，持续发展”的原则，湿地保护工作取得了进展。

1 制定湿地保护行动计划，编制湿地保护工程规划

2001 年 7 月，北京市政府办公会审议通过了《北京市湿地保护行动计划》，提出了北京市湿地保护和合理利用的指导思想、发展目标、优先行动和优先项目，是北京市开展湿地保护工作的最早行动指南。

2002 年，市长办公会审议通过了《北京市湿地保护工程规划(2001 ~2010 年)》。

2005 年，市政府印发了《关于加强北京市湿地保护管理工作的通知》(京政办发〔2005〕6 号)，提出了切实加强河流湿地和沼泽湿地的保护与恢复、对湿地进行抢救性保护、最大限度地恢复湿地的自然状态、加强湿地保护的科学研究与宣传教育等五项措施。

2007 年，市政府批准了市园林绿化局、市发展改革委员会等 8 个部门共同编制的《北京市湿地保护工程实施规划(2007 ~2010 年)》。

2007 ~2009 年，北京市启动湿地保护立法调研，启动《北京市湿地公园发展规划》的编制调查工作；发布了市级湿地公园建设的《北京市级湿地公园建设指导书》和《北京市级湿地公园评估指导书》。

2 划建湿地类型自然保护区，保护重要湿地

目前，北京市已建立野鸭湖、汉石桥、拒马河、怀沙河 – 怀九河、金牛湖和白河堡 6 个湿地类型自然保护区，总面积 2.11 万公顷。密云水库湿地已列入我国重要湿地名录。延庆县、顺义区对野鸭湖、汉石桥自然保护区分别建立区县政府直属的保护管理机构，做到人员、措施、资金三到位，使野鸭湖、汉石桥这两个北京市最重要的湿地得到有效保护。

3 制订湿地公园建设指导书，完善湿地管理体系

对具有一定重要意义，但尚不具备条件建立自然保护区的湿地，采用建设湿地公园的方式进行有效保护和管理。目前已经形成了国家级和市级两级湿地公园管理体系。现在北京市有国家级湿地公园2个，即翠湖国家城市湿地公园和野鸭湖国家湿地公园。为进一步推进湿地公园建设与管理，2009年，发布了市级湿地公园建设的《北京市级湿地公园建设指导书》和《北京市级湿地公园评估指导书》，指导书规定了北京市级湿地公园建设的基本原则、建设目标、基本条件、功能分区和建设内容，以及北京市级湿地公园评估的原则、指标与方法，有效规范了北京湿地公园建设和管理工作，完善了北京湿地公园管理体系。

4 实施湿地保护与恢复示范工程，提高湿地功能

近年来，先后启动实施了延庆县野鸭湖湿地生态修复和湿地博物馆建设工程，一期工程完成湿地生态恢复3000亩，建成了3650平方米的野鸭湖湿地博物馆并对公众开放；海淀区翠湖国家城市湿地公园完成了1000亩的一期建设，二期工程现正在建设中；顺义区汉石桥湿地启动实施了湿地植被恢复及环境整治、水质改善等工程，恢复湿地2000余亩。城区的颐和园、圆明园、元大都遗址公园、奥林匹克森林公园、柳荫公园等湿地生态公园加强了湿地植被及生境的恢复建设。湿地保护与恢复工程的实施使得湿地的美化环境、净化水质、调节气候及维持生物多样性等生态功能得到明显改善和加强，对改善北京生态环境、维护城市生态战略安全具有重要意义。

5 开展科研和科普宣传，提高公众湿地保护意识

2007年，组织开展了全市湿地资源调查工作，通过调查摸清了湿地面积、动植物种类及分布等状况，绘制了北京市湿地分布图并建立了湿地资源本底数据库。2008年启动了“北京市湿地生态系统保护与恢复关键技术研究和示范”重大科技项目，取得了阶段性成果。同时，利用“世界湿地日”“爱鸟周”和“湿地图片展”等活动，开展湿地基本知识、湿地资源保护等科普宣传活动，使得社会各界和广大公众的湿地意识逐步提高。

第二节 湿地保护管理建议

湿地是首都两大生态系统之一，承载着涵养及供给水源、调节区域气候、维护生物多样性、提供物质产品、维持生态景观和传承文化等多种功能。保护好北京的湿地，对于维护首都生态安全，建设人文北京、科技北京、绿色北京，促进北京可持续发展十分重要。目前北京湿地面临的威胁很多，当务之急，一是抢救性地保护好现有湿地，防止被侵占、破坏、污染；二是对退化湿地进行恢复性建设，充分发挥北京湿地的生态服务功能；三是尽快推进湿地公园建设，全面对现有湿地实现有效管理；四是推进湿地立法，依法保护湿地。

1 加强组织领导，完善湿地保护管理体制

湿地保护与建设是一项牵涉面广、协调难度大的系统工程，湿地保护涉及发展改革、财政、规划、环保、水务、农业、国土等多个部门，需要在政府部门之间建立有效的协调机制，明确各有关部门和区县的责任，发挥各自的优势，部门联动共同开展湿地保护行动。北京市各级政府要高度重视湿地保护与建设工作，积极推行领导干部抓湿地保护与建设示范点的办法，及时研究解决湿地保护与建设工作中存在的问题。

2 编制北京湿地保护发展总体规划

编制北京湿地保护发展总体规划，确立近期、中期和远期北京湿地保护方向与战略思路。根据北京城市功能定位和经济社会发展目标，正确处理好湿地科学保护与合理利用、近期利益与长远利益的关系，确定近期、中期和远期北京湿地保护发展目标、指导思想，编制北京湿地保护发展总体规划并纳入北京国民经济发展计划。研究制定湿地保护和管理的各项措施，编制《北京湿地保护区规划》《北京湿地公园建设规划》等，指导各部门和各区县开展湿地保护、湿地恢复和湿地管理等工作。

3 建立湿地公园、湿地保护小区，完善湿地保护体系

湿地保护与恢复建设要开拓思路，创新机制，完善和升级湿地自然保护区建设，建设湿地保护小区。除了建设各级自然保护区、保护小区外，还应采用多种形式有效保护北京湿地，因地制宜大力推进湿地公园建设，逐步构建以湿地自然保护区为基础、湿地公园为主体、保护小区为补充的湿地保护体系。

4 探索建立湿地保护长效机制，促进湿地保护管理事业健康发展

湿地保护与建设是一项长期而艰巨的任务，属于社会公益事业，北京市政府要有计划地在资金上予以支持，逐步列入财政的规划；政府应在政策、资金等方面大力支持，起到主导、示范作用。探索建立湿地保护长效机制，促进湿地保护管理事业健康发展。建立政府投资为主、社会广泛参与的湿地保护投入机制。把湿地保护纳入国民经济发展计划，湿地保护资金列入各级政府财政预算，保证湿地保护恢复工程投入和配套资金到位，探索建立湿地生态效益补偿机制、社会参与机制，逐步建立健全湿地保护投入的长效机制。目前，在湿地保护管理投入中，除汉石桥、野鸭湖等湿地自然保护区有一定资金投入外，其余湿地投入很少。建议把湿地保护与管理所需资金列入政府财政预算，确保湿地保护与管理的资金投入。

5 广泛开展湿地保护宣传教育工作，加强湿地保护科研和监测工作

长期以来，人们对湿地的生态价值认识不足，导致湿地面积减少，功能退化。为提高民众对湿地的认识，应当借助“世界湿地日”“野生动物保护月”等时机，开展丰富多彩、生动活泼的湿地宣传活动，树立湿地资源保护和持续利用意识，增强全民湿地保护的责任感和使命感。采取多种宣传方式，广泛宣传保护湿地的重要意义，让广大民众认识到湿地与其生存和发展息息相关，要

人人为湿地保护做出贡献。建议加大湿地保护的法制宣传，不断提高全社会的保护意识，调动群众参与湿地建设的积极性，实现社区共管。

建立完善的湿地监测体系，全面掌握北京市湿地的动态变化情况，为湿地的科学研究和合理利用提供及时完备准确的参考资料，对于保护湿地具有重要意义。充分利用“3S”技术以及计算机网络技术，建立北京市主要湿地网络数据库，以便于湿地科研资源共享。建立基于生态结构、功能和社会经济的预测模型和指标模型，通过模型来进行湿地的管护，科学指导湿地的持续开发利用，促进社会经济与环境的协调发展。同时建立湿地生态系统监测点，逐步实现定点监测与全面调查相结合的湿地监测体系，掌握湿地资源的动态变化，为湿地资源的保护、管理与合理利用提供基础资料。

6　采取综合措施，加强污水处理，缓解水资源紧缺压力

近年来，北京市十分重视湿地生态用水问题，采取了积极措施解决湿地水资源调配和管理问题。举世瞩目的南水北调工程历史性地由规划阶段转入实施阶段，农村饮水解困、大型灌区节水改造、病险水库除险加固和水土保持取得新成绩，水利工程管理体制改革、水价改革等工作取得了实质性进展。北京实施水资源统一调度、建设节水型社会、水功能区划、生态环境补水等工作，将进一步推进水资源的统一管理、合理配置、高效利用和有效保护，预计在南水北调工程完工，保持大量供水后将会缓解北京水资源紧缺压力。2009 年全市化学需氧量排放量为 9. 88 万吨，比上年削减 0. 25 万吨，同比下降 2. 49%。全市工业废水排放达标率为 98%，城镇污水处理厂排放达标率超过 93%。市区和郊区污水处理率分别由 2008 年的 93% 和 48% 提高到 94% 和 51%，再生水利用率由 2008 年的 57% 提高到 59%。

7　建立湿地生态效益补偿机制

湿地是自然界最富生物多样性的生态系统和人类最重要的生存环境之一，发挥着无可替代的生态调节作用，具有巨大的资源潜力和环境、社会、经济功能，它不仅为人类的生产、生活提供多种资源，而且在抵御洪水、调节径流、改善环境、控制污染、保护物种基因多样性、美化环境和维护区域生态平衡等方面具有其他系统不可替代的作用，湿地还为丰富的水生和陆生动植物提供了栖息、繁殖和生存环境。目前，国家和市政府均建立了森林生态效益补偿机制。建议建立湿地生态效益补偿机制，从法律上加强和促进北京湿地的有效保护和管理。

附录1 北京湿地调查区域植物名录

序号	科	属	种		分类	保护等级
			中文名	拉丁名		
(一)蕨类植物						
1	卷柏科	卷柏属	蔓出卷柏	*Selaginella davidii*	◇	
2	木贼科	木贼属	木贼	*Equisetaceae hiemale*	◇	
3			节节草	*Equisetaceae ramosissimum*	◇	
4			草问荆	*Equisetaceae pratense*	◇	
5			犬问荆	*Equisetaceae palustre*	◇	
6			问荆	*Equisetaceae arvense*	◇	
7	蕨科	蕨属	蕨	*Pteridium aquilinum* var. *latiusculum*	◇	
8	中国蕨科	粉背蕨属	银粉背蕨	*Aleuritopteris argentea*	◇	
9	苹科	苹属	苹	*Marsilea quadrifolia*	⊙	
10	槐叶苹科	槐叶苹属	槐叶苹	*Salvinia natans*	⊙	
11	满江红科	满江红属	满江红	*Azolla imbricata*	⊙	
(二)裸子植物						
1	银杏科	银杏属	银杏	*Ginkgo biloba*	△ *	
2	松科	冷杉属	臭冷杉	*Abies nephrolepis*	△ *	
3		云杉属	红皮云杉	*Picea koriensis*	△ *	
4			云杉	*Picea asperata*	△ *	
5		雪松属	雪松	*Cedrus deodara*	△ *	
6		松属	白皮松	*Pinus bungeana*	△ *	
7			樟子松	*Pinus sylvestris* var. *mongolica*	△ *	
8			油松	*Pinus tabulaeformis*	△ *	
9	杉科	水杉属	水杉	*Metasequoia glyptostroboides*	△ *	
10	柏科	侧柏属	侧柏	*Platycladus orientalis*	△ *	
11		圆柏属	铺地柏	*Sabina procumbens*	△ *	
12			叉子圆柏	*Sabina vulgaris*	△ *	
13			圆柏	*Sabina chinensis*	△ *	
14			龙柏	*Sabina chinensis* cv. Kaizuca	△ *	
15	麻黄科	麻黄属	草麻黄	*Ephedia sinica*	*	北京市地方Ⅱ级
(三)被子植物						
1	杨柳科	杨属	毛白杨	*Populus tomentosa*	△ *	
2			银白杨	*Populus alba*	△ *	

（续）

序号	科	属	种		分类	保护等级
			中文名	拉丁名		
3	杨柳科	杨属	新疆杨	*Populus alba* var. *pyramidalis*	△ *	
4			山杨	*Populus davidiana*	*	
5			小叶杨	*Populus simonii*	△ *	
6			青杨	*Populus cathayana*	*	
7			加拿大杨	*Populus canadensis*	△ *	
8			北京杨	*Populus beijingensis*	△ *	
9			速生杨	*Populus × beijingsis*	△ *	
10		柳属	旱柳	*Salix matsudana*	*	
11			馒头柳	*Salix matsudana* f. *umbraculifera*	△ *	
12			龙爪柳	*Salix matsudana*	△ *	
13			垂柳	*Salix babylonica*	△ *	
14			红皮柳	*Salix purpurea*	*	
15			棉花柳	*Salix linearistipularis*	*	
16			沙柳	*Salix cheilophila*	*	
17			蒿柳	*Salix viminalis*	*	
18			中国黄花柳	*Salix sinica*	*	
19			皂柳	*Salix wallichiana*	*	
20			金丝柳	*Salix × aureo – pendula*	△ *	
21			筐柳	*Salix linearistipularis*	*	
22	胡桃科	胡桃属	胡桃	*Juglans regia*	△ *	
23			麻核桃	*Juglans hopeiensis*	△ *	
24			胡桃楸	*Juglans mandschurica*	△ *	北京市地方Ⅱ级
25	桦木科	鹅耳枥属	鹅耳枥	*Carpinus turczaninowii*	*	
26		榛属	毛榛	*Corylus mandshurica*	△ *	
27			平榛	*Corylus heterophylla*	△ *	
28	壳斗科	栗属	板栗	*Castanea mollissima*	△ *	
29		栎属	栓皮栎	*Quercus variabilis*	*	
30			辽东栎	*Quercus liaotunggensis*	△ *	
31			槲栎	*Quercus dentata*	△ *	
32	榆科	榆属	榆	*Ulmus pumila*	△ *	
33			大果榆	*Ulmus macrocarpa*	△ *	
34		刺榆属	刺榆	*Hemiptelea davidi*	*	

（续）

序号	科	属	种		分类	保护等级
			中文名	拉丁名		
35	榆科	朴树属	小叶朴	*Celtis bungeana*	*	
36	桑科	桑属	桑	*Morus alba*	*	
37			鸡桑	*Morus australis*	*	
38			蒙桑	*Morus mongolica*	*	
39		构树属	构树	*Broussonetia papyrifera*	*	
40		大麻属	大麻	*Cannabis sativa*	◇	
41		葎草属	葎草	*Humulus scandens*	*	
42	荨麻科	荨麻属	麻叶荨麻	*Urtica cannabina*	◇	
43			宽叶荨麻	*Urtica laetevirens*	◇	
44			狭叶荨麻	*Urtica angustifolia*	◇	
45		艾麻属	艾麻	*Laportea macrostachya*	*	
46		蝎子草属	蝎子草	*Girardinia cuspidata*	◇	
47		冷水花属	透茎冷水花	*Pilea pumila*	◇	
48		苎麻属	赤麻	*Boehmeria silvestris*	*	
49		墙草属	墙草	*Parietaria micrantha*	◇	
50	檀香科	百蕊草属	百蕊草	*Thesium chinense*	*	
51	马兜铃科	马兜铃属	马兜铃	*Aristolochia contorta*	◇	
52	蓼科	荞麦属	荞麦	*Fagopyrum esculentum*	△ *	
53			苦荞麦	*Fagopyrum tataricum*	*	
54		蓼属	扁蓄	*Polygonum aviculare*	◇	
55			习见蓼	*Polygonum plebeium*	*	
56			尼泊尔蓼	*Polygonum nepalense*	◇	
57			红蓼	*Polygonum orientale*	◇	
58			丛枝蓼	*Polygonum caespitosum*	◇	
59			水蓼	*Polygonum hydropiper*	⊙	
60			两栖蓼	*Polygonum amphibium*	⊙	
61			酸模叶蓼	*Polygonum lapathifolium*	◇	
62			绵毛酸模叶蓼	*Polygonum lapathifolium* var. *salicifolium*	◇	
63			柳叶蓼	*Polygonum bungeanum*	◇	
64			长鬃蓼	*Polygonum longisetum*	◇	
65			小箭叶蓼	*Polygonum sieboldii*	◇	
66			杠板归	*Polygonum perfolistum*	◇	
67			刺蓼	*Polygonum senticosum*	◇	
68			戟叶蓼	*Polygonum maackianum*	◇	
69			长戟叶蓼	*Polygonum hunbergii*	◇	

（续）

序号	科	属	种		分类	保护等级
			中文名	拉丁名		
70	蓼科	蓼属	西伯利亚蓼	*Polygonum sibiricum*	*	
71			齿翅蓼	*Polygonum dentato – alatum*	◇	
72			卷茎蓼	*Polygonum convolvulus*	◇	
73			支柱蓼	*Polygonum suffultum*	◇	
74			马蓼	*Polygonum longisetum*	◇	
75		大黄属	大黄	*Rheum offcinale*	◇	
76		酸模属	毛脉酸模	*Rumex gmelinii*	◇	
77			刺果酸模	*Rumex hadroocarpus*	◇	
78			巴天酸模	*Rumex patientia*	◇	
79			皱叶酸模	*Rumex crispus*	◇	
80			齿果酸模	*Rumex dentatus*	◇	
81			阿穆尔酸模	*Rumex amurensis*	◇	
82			长刺酸模	*Rumex maritimus*	◇	
83			乌苏里酸模	*Rumex ussuriensis*	◇◆	
84			狭叶酸模	*Rumex stenophyllus*	◇◆	
85	藜科	菠菜属	菠菜	*Spinacla oleracea*	△*	
86		滨藜属	滨藜	*Atriplex patens*	◇	
87		轴藜属	轴藜	*Axyris amaranthoides*	*	
88		地肤属	地肤	*Kochia scoparia*	*	
89		藜属	刺藜	*Chenopodiaceae aristatum*	◇	
90			菊叶香藜	*Chenopodiaceae foetidum*	*	
91			尖头叶藜	*Chenopodiaceae acuminatum*	◇	
92			灰绿藜	*Chenopodiaceae glaucum*	*	
93			杂配藜	*Chenopodiaceae hybridum*	◇	
94			小藜	*Chenopodiaceae serotinum*	◇	
95			藜	*Chenopodiaceae album*	*	
96		虫实属	毛果虫实	*Corispermum declinatum*	◇	
97			软毛虫实	*Corispermum puberulum*	◇	
98		碱蓬属	碱蓬	*Suaeda glauca*	◇	
99			盐地碱蓬	*Suaeda silsa*	◇	
100		猪毛菜属	猪毛菜	*Salsola collina*	◇	
101	苋科	青葙属	青葙	*Celosia argentea*	△*	
102		苋属	反枝苋	*Amaranthus retroflexus*	*	
103			繁穗苋	*Amaranthus paniculatus*	*	
104			苋	*Amaranthus tricolor*	*	

（续）

序号	科	属	种		分类	保护等级
			中文名	拉丁名		
105	苋科	苋属	凹头苋	*Amaranthus lividus*	*	
106			皱果苋	*Amaranthus viridis*	*	
107			刺苋	*Amaranthus spinosus*	*	
108		牛膝属	牛膝	*Achyranthes bidentata*	◇	
109		莲子草属	喜旱莲子草	*Alternanthera philoxeroides*	⊙	
110	商陆科	商陆属	商陆	*Phytotacca esculenta*	◇	
111	马齿苋科	马齿苋属	马齿苋	*Portulaca oleracea*	◇	
112	石竹科	蚤缀属	灯心草蚤缀	*Arenaria juncea*	*	
113		假繁缕属	毛假繁缕	*Pseudostellaria japonica*	◇	
114		种阜草属	种阜草	*Moehringia lateriflora*	◇	
115		繁缕属	中国繁缕	*Stellaria chinensis*	◇	
116			繁缕	*Stellaria media*	◇	
117			沼生繁缕	*Stellaria palustris*	◇	
118			翻白繁缕	*Stellaria discolor*	◇	
119		鹅肠菜属	鹅肠菜	*Malachium aquaticum*	◇	
120		卷耳属	卷耳	*Cerastium arvense*	*	
121		漆姑草属	漆姑草	*Sagina japonica*	◇	
122		蝇子草属	石生蝇子草	*Silene tatarinowii*	*	
123			蔓茎蝇子草	*Silene repens*	*	
124			女娄菜	*Silene aprica*	◇	
125			粗壮女娄菜	*Silene firma*	*	
126			旱麦瓶草	*Silene jenisseensis*	*	
127		石竹属	瞿麦	*Dianthus superbus*	*	
128			石竹	*Dianthus chinensis*	*	
129	睡莲科	莲属	莲	*Nelumbo nucifera*	⊙	
130		芡属	芡	*Euryale ferox*	⊙	北京市地方Ⅱ级
131		睡莲属	睡莲	*Nymphaea tetragona*	⊙	
132			黄睡莲	*Nymphaea mexicana*	⊙	
133		萍蓬草属	萍蓬草	*Nuphar pumilum*	⊙	
134	金鱼藻科	金鱼藻属	金鱼藻	*Ceratophyllum demersum*	⊙	
135			东北金鱼藻	*Ceratophyllum manschuricum*	⊙	
136	毛茛科	芍药属	芍药	*Paeonia lactiflora*	△ *	
137		乌头属	两色乌头	*Aconitum albo – violaceum*	*	
138			牛扁	*Aconitum barbatum* var. *puberulum*	*	
139			草乌	*Aconitum kusnezoffii*	*	

（续）

序号	科	属	种		分类	保护等级
			中文名	拉丁名		
140	毛茛科	耧斗菜属	耧斗菜	*Aquilegia viridiflora*	*	
141		唐松草属	瓣蕊唐松草	*Thalictrum petaloideum*	*	
142			贝加尔唐松草	*Thalictrum baicalense*	*	
143			箭头唐松草	*Thalictrum simplex* var. *brevipes*	*	
144			东亚唐松草	*Thalictrum minus* var. *hypoleucum*	*	
145		银莲花属	草玉梅	*Anemone rivularis*	◇	
146		白头翁属	白头翁	*Pulsatilla chinensis*	*	
147		铁线莲属	槭叶铁线莲	*Clematis acerifolia*	*	北京市地方Ⅰ级
148			大叶铁线莲	*Clematis heracleifolia*	*	
149			棉团铁线莲	*Clematis hexapetala*	*	
150			芹叶铁线莲	*Clematis aethusaefolia*	*	
151			黄花铁线莲	*Clematis intricata*	*	
152			短尾铁线莲	*Clematis brevicaudata*	*	
153		毛茛属	茴茴蒜	*Ranunculus chinensis*	◇	
154			毛茛	*Ranunculus japonicus*	◇	
155			单叶毛茛	*Ranunculus monophyllus*	◇	
156			石龙芮	*Ranunculus sceleratus*	◇	
157		碱毛茛属	水葫芦苗	*Halerpestes cymbalaria*	◇	
158			长叶碱毛茛	*Halerpestes ruthenica*	◇	
159		水毛茛属	北京水毛茛	*Batrachium pekinense*	⊙	北京市地方Ⅰ级
160			水毛茛	*Batrachium bungei*	⊙	
161	小檗科	小檗属	细叶小檗	*Berberis poiretii*	*	
162			紫叶小檗	*Berberis atropu*	△*	
163	防己科	蝙蝠葛属	蝙蝠葛	*Menispermum dauricum*	*	
164	木兰科	木兰属	玉兰	*Magnolia denudata*	△*	
165	罂粟科	白屈菜属	白屈菜	*Chelidonium majus*	*	
166		紫堇属	地丁草	*Corydalis bungeana*	*	
167			河北黄堇	*Corydalis pallida*	*	
168	十字花科	芸苔属	甘蓝	*Brassica oleracea*	△*	
169			卷心菜	*Brassica oleracea* var. *capitata*	△*	
170			菜花	*Brassica oleracea* var. *botrytis*	△*	
171			白菜	*Brassica pekinensis*	△*	
172			青菜	*Brassica chinensis*	△*	
173		萝卜属	萝卜	*Raphanus sativus*	△*	
174		诸葛菜属	诸葛菜	*Orychophragnus violaceus*	△*	

（续）

序号	科	属	种		分类	保护等级
			中文名	拉丁名		
175	十字花科	独行菜属	独行菜	*Lepidium apetalum*	*	
176			宽叶独行菜	*Lepidium latifolium* var. *affin*	*	
177		荠属	荠菜	*Capsella bursa-pastoris*	*	
178		碎米荠属	碎米荠	*Cardamine hirsuta*	◇	
179			白花碎米荠	*Cardamine leucantha*	*	
180		南芥属	垂果南芥	*Arabis pendula*	◇	
181			毛南芥	*Arabis hirsuta*	◇	
182		豆瓣菜属	豆瓣菜	*Nasturtium officinale*	⊙	
183		蔊菜属	风花菜	*Roippa globosa*	◇	
184			沼生蔊菜	*Roippa islandica*	◇	
185			蔊菜	*Roippa indica*	◇	
186			细果蔊菜	*Roippa cantoniensis*	◇	
187			无瓣蔊菜	*Roippa dubia*	◇	
188		糖芥属	糖芥	*Erysimum bungei*	*	
189			小花糖芥	*Erysimum cheiranthoides*	◇	
190		大蒜芥属	垂果大蒜芥	*Sisymbrium heteromallum*	*	
191		串珠芥属	串珠芥	*Torularia humila*	*	
192		播娘蒿属	播娘蒿	*Descurainia sophia*	*	
193	景天科	瓦松属	瓦松	*Orostachys fimbriatus*	*	
194		红景天属	红景天	*Rhodiola rosea*	*	北京市地方Ⅱ级
195		景天属	华北景天	*Sedum tatarincwii*	*	
196			景天	*Sedum erythrostictum*	△*	
197			景天三七	*Sedum aizoon*	*	
198			垂盆草	*Sedum satmentosun*	△*	
199	杜仲科	杜仲属	杜仲	*Eucommia ulmoides*	△*	
200	虎耳草科	扯根菜属	扯根菜	*Penthorum chinense*	◇	
201		山梅花属	太平花	*Philadelphus pekinensis*	*	
202		溲疏属	小花溲疏	*Deutzia parviflora*	*	
203			溲疏	*Deutzia scabra*	*	
204			大花溲疏	*Deutzia grandiflora*	*	
205			钩齿溲疏	*Deutzia hamata* var. *baroniana*	*	
206		绣球属	东陵绣球	*Hydrangea bretschneideri*	*	
207		茶藨子属	东北茶藨子	*Ribes mandshuricum*	*	
208		落新妇属	落新妇	*Astilbe chinensis*	◇	
209		虎耳草属	球茎虎耳草	*Saxifraga sibirica*	◇	

（续）

序号	科	属	种		分类	保护等级
			中文名	拉丁名		
210	虎耳草科	独根草属	独根草	*Oresitropho rupifraga*	◇	
211		金腰属	蔓金腰	*Chrysosplenium flagelliferum*	◇	
212			毛金腰	*Chrysosplenium pilosum*	◇	
213		梅花草属	梅花草	*Parnassia palustris*	◇	
214	悬铃木科	悬铃木属	三球悬铃木	*Platanus orientalis*	△ *	
215	蔷薇科	绣线菊属	三裂绣线菊	*Spiraea trilobata*	*	
216			土庄绣线菊	*Spiraea pubescens*	*	
217			毛花绣线菊	*Spiraea. dasyantha*	*	
218		珍珠梅属	珍珠梅	*Sorbaria kirilowii*	△ *	
219		栒子属	灰栒子	*Contoneaster acutifolius*	*	
220			水栒子	*Contoneaster multiglorus*	*	
221			平枝栒子	*Cotoneaster horizontalis*	*	
222		山楂属	山楂	*Crataegus pinnatifida*	*	
223			山里红	*Crataegus pinnatifida* var. *major*	△ *	
224		花楸属	北京花楸	*Sorbus discolor*	*	
225			花楸树	*Sorbus pohuashanensis*	*	
226		梨属	秋子梨	*Pyunus ussuriensis*	*	
227			白梨	*Pyunus bretschneideri*	△ *	
228			杜梨	*Pyunus betulifolia*	*	
229		苹果属	山荆子	*Malus baccata*	*	
230			西府海棠	*Malus mandchurica*	△ *	
231			苹果	*Malus pumila*	△ *	
232			楸子	*Malus prunifoia*	*	
233			海棠花	*Malus spectabilis*	△ *	
234		蔷薇属	多花蔷薇	*Rosa multiflora*	△ *	
235			月季花	*Rosa chinensis*	△ *	
236			玫瑰	*Rosa rugosa*	△ *	
237			黄刺玫	*Rosa xanthina*	△ *	
238		龙牙草属	龙牙草	*Agrimonia pilosa*	◇	
239		地榆属	地榆	*Sanguisorba officinalis*	*	
240			宽蕊地榆	*Sanguisorba appalanata*	*	
241		棣棠属	棣棠	*Kerria japonica*	△ *	
242		悬钩子属	牛迭肚	*Rubus crataegifolius*	*	
243			石生悬钩子	*Rubus saxatilis*	*	
244			榛叶悬钩子	*Rubus lanyuensis*	*	

（续）

序号	科	属	种		分类	保护等级
			中文名	拉丁名		
245	蔷薇科	水杨梅属	水杨梅	*Geum aleppicum*	◇	
246		蛇莓属	蛇莓	*Duchesnea indica*	◇	
247		委陵菜属	绢毛匍匐委陵菜	*Potentilla reptans* var. *sericophylla*	◇	
248			匐枝委陵菜	*Potentilla flagellaris*	◇	
249			朝天委陵菜	*Potentilla supina*	◇	
250			鹅绒委陵菜	*Potentilla anserina*	◇	
251			莓叶委陵菜	*Potentilla fragarioides*	◇	
252			大萼委陵菜	*Potentilla conferta*	*	
253			委陵菜	*Potentilla chinensis*	*	
254			二裂叶委陵菜	*Potentilla bifurca*	◇	
255			三叶委陵菜	*Potentilla freyniana*	*	
256			毛叶委陵菜	*Potemtilla dasyphylla*	* ◆	
257		地蔷薇属	地蔷薇	*Chamaerhodos erecta*	*	
258		李属	李	*Prunus salicina*	△ *	
259			紫叶李	*Prunus cerasifera* f. *atropurpurea*	△ *	
260			杏	*Prunus armeniaca*	△ *	
261			山杏	*Prunus armeniaca* var. *ansu*	*	
262			西伯利亚杏	*Prunus sibirica*	*	
263			碧桃	*Prunus persica* f. *albo - plena*	△ *	
264			桃	*Prunus persica*	△ *	
265			红碧桃	*Prunus persica* f. *rubra - plena*	△ *	
266			山桃	*Prunus davidiana*	△ *	
267			榆叶梅	*Prunus triloba*	△ *	
268			毛樱桃	*Prunus tomentosa*	*	
269			樱花	*Prunus serrulata*	△ *	
270			欧李	*Prunus humilis*	*	
271			稠李	*Prunus racemosa*	*	
272			郁李	*Prunus japonica*	△ * ◆	
273	豆科	合欢属	山合欢	*Albizia kalkora*	*	
274			合欢	*Albizia julibrissin*	△ *	
275		含羞草属	含羞草	*Mimosa pudica*	△ *	
276		紫荆属	紫荆	*Cercis chinensis*	△ *	
277		皂荚属	山皂荚	*Gleditsia japonica*	*	
278		决明属	茳芒决明	*Cassia sophera*	△ *	
279			决明	*Cassia tora*	△ *	

（续）

序号	科	属	种		分类	保护等级
			中文名	拉丁名		
280	豆科	决明属	豆茶决明	*Cassia nomame*	*	
281		槐属	国槐	*Sophora japonica*	△ *	
282			龙爪槐	*Sophora japonica* f. *pendula*	△ *	
283			金枝槐	*Sophora japonica* cv. Golden	△ *	
284			苦参	*Sophora flavescens*	*	
285		黄华属	高山黄华	*Thermopsls alpina*	*	
286		苜蓿属	紫苜蓿	*Medicago sativa*	◇	
287			天蓝苜蓿	*Medicago lupulina*	◇	
288			野苜蓿	*Medicago falcata*	◇	
289			花苜蓿	*Medicago ruthenica*	△ *	
290		草木犀属	白花草木犀	*Melilotus alba*	*	
291			黄香草木犀	*Melilotus officinalis*	*	
292			草木犀	*Melilotus suaveolens*	*	
293		车轴草属	白车轴草	*Trifolium repens*	△ *	
294		木蓝属	花木蓝	*Indigofera kirilowii*	*	
295			河北木蓝	*Indigofera bungeana*	*	
296		紫穗槐属	紫穗槐	*Amorpha fruticosa*	△ *	
297		紫藤属	紫藤	*Wisteria sinensis*	△ *	
298		洋槐属	刺槐	*Ribinia pseudoacacia*	△ *	
299			毛洋槐	*Ribinia hispida*	△ *	
300		苦马豆属	苦马豆	*Swainsonia salsula*	*	
301		米口袋属	狭叶米口袋	*Gueldenstaedtia stenophylla*	*	
302			米口袋	*Gueldenstaedtia multiflora*	*	
303			少花米口袋	*Gueldenstaedtia verna*	*	
304		锦鸡儿属	锦鸡儿	*Caragana sinica*	*	
305		黄耆属	糙叶黄耆	*Astragalus scaberrimus*	*	
306			达乌里黄耆	*Astragalus dahuricus*	*	
307			扁茎黄耆	*Astragalus complanatus*	*	
308			斜茎黄耆	*Astragalus adsurgens*	*	
309			膜荚黄耆	*Astragalus membranaceus*	*	北京市地方Ⅱ级
310			内蒙古黄耆	*Astragalus membranaceus* var. *mongholicus*	*	
311			黄耆	*Astragalus adsurgens*	*	
312		棘豆属	硬毛棘豆	*Oxytropis bicolor*	*	
313			砂珍棘豆	*Oxytropis psammocharis*	*	
314		甘草属	刺果甘草	*Glycyrrgiza pallidiflora*	◇	

（续）

序号	科	属	种		分类	保护等级
			中文名	拉丁名		
315	豆科	合萌属	合萌	*Aeschynomene indica*	*	
316		落花生属	落花生	*Arachis hypogaea*	△ *	
317		胡枝子属	胡枝子	*Lespedeza bicolor*	*	
318			多花胡枝子	*Lespedeza floribunda*	*	
319			达呼里胡枝子	*Lespedeza davurica*	*	
320			白指甲花	*Lespedeza inschanica*	*	
321			山豆花	*Lespedeza tomentosa*	*	
322			兴安胡枝子	*Lespedeza daurica*	*	
323		杭子梢属	杭子梢	*Campylotropis macrocarpa*	*	
324		鸡眼草属	长萼鸡眼草	*Kummerowia stipulacea*	*	
325			鸡眼草	*Kummerowia striata*	* ◆	
326		野豌豆属	蚕豆	*Vicia faba*	△ *	
327			北野豌豆	*Vicia ramuliflora*	*	
328			歪头菜	*Vicia unijuga*	*	
329			三齿萼野豌豆	*Vicia bungei*	*	
330			假香野豌豆	*Vicia pseudo – orobus*	◇	
331			广布野豌豆	*Vicia cracca*	*	
332		香豌豆属	茳芒香豌豆	*Lathyrus davidii*	*	
333			矮山黧豆	*Lathyrus maritimus*	*	
334		豌豆属	豌豆	*Pisum sativum*	△ *	
335		两型豆属	三籽两型豆	*Amphicarpaea trisperma*	*	
336		大豆属	大豆	*Glycine max*	△ *	
337			野大豆	*Glycine soja*	◇	国家Ⅱ级
338		葛属	葛	*Pueraria lobata*	*	
339		菜豆属	菜豆	*Phaseolus vulgaris*	△ *	
340			绿豆	*Phaseolus minimus*	△ *	
341		豇豆属	豇豆	*Vigna unguiculata*	△ *	
342			赤豆	*Vigna angularis*	△ *	
343		扁豆属	扁豆	*Lablab purpureus*	△ *	
344	酢浆草科	酢浆草属	酢浆草	*Oxalidaceae corniculata*	◇	
345			直酢浆草	*Oxalidaceae corniculata* var. *stricta*	◇	
346	牻牛儿苗科	老鹳草属	毛蕊老鹳草	*Goranium eriostemon*	*	
347			粗根老鹳草	*Goranium dahuhurdcum*	*	
348			鼠掌老鹳草	*Goranium sibiricum*	*	
349			老鹳草	*Goranium wilfordii*	*	
350		牻牛儿苗属	牻牛儿苗	*Erodium stephanianum*	*	

（续）

序号	科	属	种		分类	保护等级
			中文名	拉丁名		
351	旱金莲科	旱金莲属	旱金莲	*Tropaeolum majus*	◇	
352	亚麻科	亚麻属	野亚麻	*Linum stelleroides*	*	
353			亚麻	*Linum usitatissimum*	*	
354	蒺藜科	蒺藜属	蒺藜	*Tribulus terrester*	*	
355	芸香科	花椒属	花椒	*Zanthoxylum bungeanum*	△*	
356			崖椒	*Zanthoxylum schinifolium*	*	北京市地方Ⅱ级
357	苦木科	臭椿属	臭椿	*Ailanthus altissima*	*	
358		苦木属	苦木	*Picrasma quassioides*	*	
359	楝科	香椿属	香椿	*Toona sinensis*	*	
360		楝属	楝树	*Melia azedarach*	△*	
361	远志科	远志属	西伯利亚远志	*Polygala sibirica*	*	
362			远志	*Polygala tenuifolia*	*	
363	大戟科	雀儿舌头属	雀儿舌头	*Leptopus chinensis*	*	
364		地构叶属	地构叶	*Speranskia tuberculata*	*	
365		铁苋菜属	铁苋菜	*Acalypha australis*	*	
366			短穗铁苋菜	*Acalypha brachystachya*	*	
367			裂苞铁苋菜	*Acalypha* sp.	*	
368		蓖麻属	蓖麻	*Ricinus communis*	△*	
369		一叶萩属	一叶萩	*Flueggea suffruticosa*	*	
370		大戟属	银边翠	*Euphorbia marginata*	△*	
371			地锦草	*Euphorbia humifusa*	△*	
372			斑叶地锦	*Euphorbia supina*	△*	
373			乳浆大戟	*Euphorbia esula*	*	
374			猫眼草	*Euphorbia lunulata*	*	
375			京大戟	*Euphorbia pekinensis*	*	
376		叶下珠属	叶下珠	*Phyllanthus ussuriensis*	◇	
377	黄杨科	黄杨属	锦熟黄杨	*Buxus sempervirens*	△*	
378			小叶黄杨	*Buxus sinica*	△*	
379	漆树科	盐肤木属	盐肤木	*Rhus chinensis*	*	
380			火炬树	*Rhus typhina*	△*	
381		黄栌属	黄栌	*Cotinus coggygria* var. *cinerea*	△*	
382	卫矛科	南蛇藤属	南蛇藤	*Celastrus orbiculatus*	*	
383		卫矛科	冬青卫矛	*Euonymus? japonicus*	△*	
384			明开夜合	*Euonymus bungeanus*	△*	
385			卫矛	*Euonymus alatus*	△*	

（续）

序号	科	属	种		分类	保护等级
			中文名	拉丁名		
386	槭树科	槭属	元宝槭	*Acer truncatum*	△ *	
387			色木槭	*Acer mono*	△ *	
388	七叶树科	七叶树属	七叶树	*Aesculus chinensis*	△ *	
389	无患子科	栾树属	栾树	*Koelreuteria paniculata*	*	
390		文冠果属	文冠果	*Xanthoceras sorbifolia*	△ *	
391	凤仙花科	凤仙花属	凤仙花	*Impatiens balsamina*	△ *	
392			水金凤	*Impatiens nolitangere*	◇	
393	鼠李科	枣属	枣	*Ziziphus jujuba*	△ *	
394			酸枣	*Ziziphus juju* var. *spinosa*	*	
395		鼠李属	小叶鼠李	*Rhamnus parvifolia*	*	
396			锐齿鼠李	*Rhamnus arguta*	*	
397			鼠李	*Rhamnus davurica*	*	
398	葡萄科	葡萄属	葡萄	*Vitis vinifera*	△ *	
399			山葡萄	*Vitis amurensis*	*	
400		爬山虎属	爬山虎	*Parthenocissus tricuspidata*	△ *	
401			五叶爬山虎	*Parthenocissus quinquefolia*	△ *	
402		蛇葡萄属	葎叶蛇葡萄	*Amoekopsis humulifolia*	*	
403			乌头叶蛇葡萄	*Amoekopsis aconitifolia*	*	
404			白蔹	*Amoekopsis japonica*	*	
405	椴树科	椴树属	蒙椴	*Tilia mongolica*	△ *	
406			糠椴	*Tilia mandshurica*	△ *	
407		扁担杆属	孩儿拳(扁担杆)	*Grewia biloba*	*	
408	锦葵科	锦葵属	锦葵	*Malva sinensis*	△ *	
409			冬葵	*Malva verticllata*	*	
410			野葵	*Malva verticllata*	*	
411		蜀葵属	蜀葵	*Althaea rosea*	△ *	
412		苘麻属	苘麻	*Abutilon theophrasti*	*	
413		木槿属	木槿	*Hibiscus syriacus*	△ *	
414			野西瓜苗	*Hibiscus trionum*	*	
415		草棉属	陆地棉	*Gossyplum hirsutum*	△ *	
416	梧桐科	梧桐属	梧桐	*Firmiana simplex*	△ *	
417	藤黄科	金丝桃属	红旱莲	*Hypericum ascyron*	◇	
418			野金丝桃	*Hypericum attenuatum*	*	
419	柽柳科	柽柳属	柽柳	*Tamarix chinensis*	△ *	
420		水柏枝属	宽苞水柏枝	*Myricaria bracteata*	◇◆	北京市地方Ⅱ级

（续）

序号	科	属	种		分类	保护等级
			中文名	拉丁名		
421	堇菜科	堇菜属	鸡腿堇菜	*Viola acuminate*	*	
422			裂叶堇菜	*Viola dissecta*	*	
423			球果堇菜	*Viola collina*	◇	
424			紫花地丁	*Viola philippica*	*	
425			深山堇菜	*Viola selkirki*	*	
426			北京堇菜	*Viola pekinensis*	*	
427			早开堇菜	*Viola prionantha*	*	
428	秋海棠科	秋海棠属	秋海棠	*Begonia grandis*	◇	
429			中华秋海棠	*Begonia grandis* subsp. *sinensis*	◇	北京市地方Ⅱ级
430	瑞香科	草瑞香属	草瑞香	*Diarthron linifolium*	*	
431		荛花属	河朔荛花	*Wikstroemia chamaedaphne*	*	
432	胡颓子科	沙棘属	沙棘	*Hippophae rhamnoides*	*	
433	千屈菜科	紫薇属	紫薇	*Lagerstroemia indica*	△ *	
434		千屈菜属	千屈菜	*Lythrum salicaria*	⊙	
435		水苋菜属	多花水苋菜	*Ammannia multiflora*	◇	
436			绿水苋	*Ammannia viridis*	◇	
437			耳叶水苋	*Ammannia arenarid*	◇	
438	石榴科	石榴属	石榴	*Punica granatum*	△ *	
439	菱科	菱属	丘角菱	*Trapa japonica*	⊙	
440			乌菱	*Trapa bicornis*	⊙	
441			格菱	*Trapa pseudoincisa*	⊙	
442			细果野菱	*Trapa maximowiczzi*	⊙	
443			菱	*Trapa bispinosa*	⊙	
444	柳叶菜科	露珠草属	露珠草	*Circaea quadrisulcata*	◇	
445		月见草属	月见草	*Oenethera erythrosepala*	△ *	
446		柳叶菜属	沼生柳叶菜	*Epilobium palustre*	◇	
447			光滑柳叶菜	*Epilobium cepgalostigma*	◇	
448			柳叶菜	*Epilobium hirsutum*	◇	
449			东北柳叶菜	*Epilobium ciliatum*	◇◆	
450			小花柳叶菜	*Epilobium parviflorum*	◇	
451		丁香蓼属	丁香蓼	*Ludwigia prostrate*	◇	
452	小二仙草科	狐尾藻属	狐尾藻	*Myriophyllum spicatum*	⊙	
453			轮叶狐尾藻	*Myriophyllum verticill*	⊙	
454			穗状狐尾藻	*Myriophyllum spicatum*	⊙	
455	五加科	楤木属	辽东楤木	*Aralia elata*	*	北京市地方Ⅱ级

（续）

序号	科	属	种		分类	保护等级
			中文名	拉丁名		
456	五加科	五加属	刺五加	*Acanthopanax senticosus*	*	北京市地方Ⅱ级
457	伞形科	窃衣属	窃衣	*Torilis japonica*	◇	
458		芫荽属	香菜	*Coriandrum sativum*	△ *	
459		柴胡属	北柴胡	*Bupleurum chinense*	*	
460		芹属	芹菜	*Apium graveolens*	△ *	
461		欧芹属	欧芹	*Petroselinum crispum*	*	
462		毒芹属	毒芹	*Cicuta virosa*	⊙	
463		葛缕子属	田葛缕子	*Carum buriaticum*	*	
464			葛缕子	*Carum carvi*	*	
465		泽芹属	泽芹	*Sium suave*	⊙	
466		水芹属	水芹	*Oenanthe javanica*	⊙	
467		茴香属	茴香	*Foenuculum vulgare*	△ *	
468		蛇床属	蛇床	*Cridium monnieri*	◇	
469		藁本属	藁本	*Ligusticum jeholense*	◇	
470		当归属	白芷	*Angelica daburica*	◇	
471			拐芹当归	*Angelica polymorpha*	◇	
472		山芹属	山芹	*Ostericum sieboldii*	◇	
473		柳叶芹属	柳叶芹	*Czernaevia laervigata*	◇	
474		独活属	短毛独活	*Heracleum moellendorffii*	◇	
475		胡萝卜属	胡萝卜	*Daucus carota* var. *sativa*	△ *	
476			野胡萝卜	*Daucus carota*	*	
477	山茱萸科	梾木属	红瑞木	*Cornus alba*	△ *	
478	报春花科	点地梅属	点地梅	*Androsace umbellate*	*	
479		海乳草属	海乳草	*Glaux maritima*	*	
480		珍珠菜属	狭叶珍珠菜	*Lysimachia pentapetala*	*	
481			狼尾花	*Lysimachia barystachys*	*	
482			黄连花	*Lysimachia davurica*	*	
483	白花丹科	补血草属	二色补血草	*Limonium bicolor*	*	北京市地方Ⅱ级
484	柿树科	柿树属	柿树	*Diospyros kaki*	△ *	
485			黑枣	*Diospyros lotus*	△ *	
486	木犀科	梣属	白蜡树	*Fraxinus chinensis*	△ *	
487		连翘属	连翘	*Forsythiasuspensa*	△ *	
488			金钟花	*Forsythia viridissima*	△ *	
489		丁香属	红丁香	*Syringa villosa*	△ *	
490			北京丁香	*Syringa pekinensis*	*	

（续）

序号	科	属	种		分类	保护等级
			中文名	拉丁名		
491	木犀科	丁香属	紫丁香	*Syringa oblata*	△＊	
492			暴马丁香	*Syringa reticulata* var. *mandshvrica*	＊	
493		女贞属	金叶女贞	*Ligustrum* × *vicaryi*	△＊	
494		流苏树属	流苏树	*Chionanthus retusus*	△＊	北京市地方Ⅱ级
495		素馨属	迎春	*Jasminum nudiflorum*	△＊	
496	马钱科	醉鱼草属	醉鱼草	*Buddleja lindleyana*	＊	
497	龙胆科	百金花属	百金花	*Centaurium meyeri*	◇	
498		龙胆属	秦艽	*Gentiana macrophylla*	＊	
499			小龙胆	*Gentiana squarrosa*	＊	
500			假水生龙胆	*Gentiana pseudo – aquatica*	◇	
501			鳞叶龙胆	*Gentiana squarrosa*	＊	
502		花锚属	花锚	*Halenia sibirica*	＊	
503		獐牙菜(当药)属	当药	*Swertia diluta*	＊	
504		荇菜属	荇菜	*Nymphoides peltatum*	⊙	
505		睡菜属	睡菜	*Menyantehes trifolia*	⊙◆	
506	夹竹桃科	夹竹桃属	夹竹桃	*Nerium indicum*	△＊	
507		罗布麻属	罗布麻	*Apocynum venetum*	＊	
508		杠柳属	杠柳	*Pripl oca sepium*	＊	
509	萝藦科	萝摩属	萝摩	*Metaplexis japonica*	＊	
510		麻黄属	麻黄	*Ephedra sinica*	＊	
511		鹅绒藤属	老瓜头	*Cynanchum komasrcovii*	＊	
512			紫花杯冠藤	*Cynanchum purpureum*	＊	
513			徐长卿	*Cynanchum paniculatum*	＊	
514			地梢瓜	*Cynanchum thesioides*	＊	
515			雀瓢	*Cynanchum thesioides* var. *australe*	＊	
516			华北白前	*Cynanchum mongolicum*	＊	
517			白薇	*Cynanchum atratnm*	＊	
518			白首乌	*Cynanchum bungei*	＊	北京市地方Ⅱ级
519			变色白前	*Cynanchum versicolor*	＊	
520			鹅绒藤	*Cynanchum chinensie*	＊	
521			牛皮消	*Cynanchum auriculatum*	＊	
522	旋花科	茑萝属	茑萝	*Quamoclit pennata*	＊	
523		牵牛花属	圆叶牵牛	*Pharbitis purpurea*	＊	
524			裂叶牵牛	*Pharbitis hederacea*	＊	
525			牵牛	*Pharbitis nil*	△＊	

（续）

序号	科	属	种		分类	保护等级
			中文名	拉丁名		
526	旋花科	番薯属	番薯	*Ipomoea batatas*	△ *	
527		旋花属	田旋花	*Convolvulus arvensis*	*	
528		打碗花属	藤长苗	*Calystegia pellita*	*	
529			打碗花	*Calystegia hederacea*	*	
530			篱打碗花(旋花)	*Calystegia sepium*	*	
531			日本打碗花	*Calystegia japonica*	*	
532			柔毛打碗花	*Calystegia pubescens*	*	
533		菟丝子属	菟丝子	*Cuscuta chinensis*	*	
534			金灯藤	*Cuscuta japonica*	*	
535	紫草科	砂引草属	砂引草	*Messerschmidia rosmarinifolia*	*	
536			细叶砂引草	*Messerschmidiasibirica* var. *angustior*	◇	
537		紫草属	麦家公	*Lithospermum arvense*	*	
538		鹤虱属	鹤虱	*Lappula myosotis*	*	
539		斑种草属	斑种草	*Bothriospermum chinensis*	*	
540		附地菜属	附地菜	*Trigontis peduncularis*	*	
541			钝萼附地菜	*Trigontis amblyosepala*	◇	
542		勿忘草属	湿地勿忘草	*Myosotis caespitosa*	◇	
543		聚合草属	聚合草	*Symphytum officinale*	△ *	
544	马鞭草科	牡荆属	荆条	*Vitex negundo* var. *heterophylla*	*	
545	唇形科	水棘针属	水棘针	*Amethystea coerulea*	◇	
546		地笋属	地笋	*Lycopus lucidus*	◇	
547			硬毛地笋	*Lycopus lucidus* var. *hirtus*	◇	
548		鼠尾草属	一串红	*Salvia splendens*	△ *	
549			丹参	*Salvia miltiorrhiza*	*	北京市地方Ⅱ级
550			荫生鼠尾草	*Salvia umbratica*	*	
551			荔枝草	*Salvia plebeia*	*	
552		黄芩属	北京黄芩	*Scutellaria pekinensis*	*	
553			黄芩	*Scutellaria baicalensis*	*	北京市地方Ⅱ级
554			狭叶黄芩	*Scutellaria regeliana*	*	
555		香科科属	乌苏里香科科	*Teucrium ussuriense*	◇	
556			小叶穗花香科科	*Teucrium japonicum*	◇	
557		筋骨草属	筋骨草	*Ajuga ciliata*	◇	
558			多花筋骨草	*Ajuga multiflora*	◇	
559		香茶菜属	内折香茶菜	*Rabdosia inflexa*	◇	
560			蓝萼香茶菜	*Rabdosia japonica* var. *glaucocalyx*	◇	

（续）

序号	科	属	种		分类	保护等级
			中文名	拉丁名		
561	唇形科	夏至草属	夏至草	*Lagopsis supina*	*	
562		香薷属	木本香薷	*Elsholtzia stauntonl*	*	
563			香薷	*Elsholtzia ciliata*	◇	
564		活血丹属	活血丹	*Glechoma longituba*	◇	
565		青兰属	光萼青兰	*Dracoccphalum argunense*	*	
566			香青兰	*Dracoccphalum moldavica*	◇	
567			岩青兰	*Dracoccphalum rupesire*	*	
568		荆芥属	荆芥	*Neprta cataria*	△ *	
569		糙苏属	糙苏	*Phlomis umbrosa*	*	
570		益母草属	益母草	*Leonurus japonicas*	◇	
571			细叶益母草	*Leonurus sibiricus*	◇	
572		水苏属	甘露子	*Stachys sieboldii*	◇	
573			毛水苏	*Stachys baicalensis*	◇	
574			华水苏	*Stachys chinensis*	◇	
575		风轮菜属	风轮菜	*Clinopodium chinense*	◇	
576		紫苏属	紫苏	*Perilla frutescens*	△ *	
577		薄荷属	薄荷	*Mentha haplocalyx*	◇	
578	茄科	茄属	马铃薯	*Solanum tuberosum*	△ *	
579			龙葵	*Solanum nigrum*	*	
580			青杞	*Solanum septemlobum*	*	
581			茄	*Solanum melongena*	△ *	
582			黄花刺茄	*Solanum rostratum*	◇◆	
583		番茄属	番茄	*Lycpersicon esculentum*	△ *	
584		酸浆属	酸浆	*Physalis alkekengi*	◇	
585		假酸浆属	假酸浆	*Nicandra physaloides*	*	
586		散血丹属	日本散血丹	*Physaliastrum japonicum*	*	
587		枸杞属	枸杞	*Lycium chinense*	△ *	
588		辣椒属	菜椒	*Capsicum annuum* var. *grossum*	△ *	
589			辣椒	*Capsicum frutescens*	△ *	
590		天仙子属	莨菪	*Hyoscyamus niger*	◇	
591		曼陀罗属	曼陀罗	*Datura stramonium*	*	
592			紫花曼陀罗	*Datura stramonium* var. *tatula*	△ *	
593	玄参科	泡桐属	毛泡桐	*Paulownia tomentosa*	△ *	
594			兰考泡桐	*Paulownia elongata*	△ *	
595		阴行草属	阴行草	*Siphonostegia chinensis*	*	

（续）

序号	科	属	种		分类	保护等级
			中文名	拉丁名		
596	玄参科	脐草属	脐草	*Omphalothrix longipes*	◇	
597		疗齿草属	疗齿草	*Odontites serotina*	◇	
598		马先蒿属	返顾马先蒿	*Pedicularis resupinata*	*	
599		松蒿属	松蒿	*Phtheirospermum japonicum*	*	
600		沟酸浆属	沟酸浆	*Mimulus tenellus*	◇	
601		地黄属	地黄	*Rehmannia glutinosa*	*	
602		毛地黄属	毛地黄	*Digitalis purpurea*	△ *	
603		通泉草属	弹刀子菜	*Mazus stachydifolius*	◇	
604			通泉草	*Mazus japonicus*	◇	
605		母草属	母草	*Lindernia procumbens*	*	
606		婆婆纳属	婆婆纳	*Veronica didyma*	◇	
607			水苦荬	*Veronica undulata*	⊙	
608			北水苦荬	*Veronica anagalis – aquatica*	⊙	
609			有柄水苦荬	*Veronica beccabunga*	◇◆	
610		腹水草属	草本威灵仙	*Veronicastrum sibiricum*	◇	
611	紫葳科	角蒿属	角蒿	*Incarvillea sinensis*	*	
612	胡麻科	脂麻属	脂麻	*Sesamum orientale*	△ *	
613		茶菱属	茶菱	*Trapella sinensis*	⊙	
614	列当科	列当属	黄花列当	*Orobanche pycnostchya*	*	
615	狸藻科	狸藻属	狸藻	*Vtricularia vulgaris*	⊙	
616	透骨草科	透骨草属	透骨草	*Phryma leptostachya* var. *asiatica*	◇	
617	车前科	车前属	平车前	*Plantago depressa*	*	
618			车前	*Plantago asiatica*	*	
619			大车前	*Plantago major*	◇	
620	茜草科	茜草属	茜草	*Rubia cordifolia*	*	
621		猪殃殃属	猪殃殃	*Galium aparine*	*	
622			四叶葎	*Galium bungei*	*	
623			线叶猪殃殃	*Galium linearifalium*	*	
624			蓬子菜	*Galium verum*	*	
625		薄皮木属	薄皮木	*Leptodermis oblonga*	*	
626		鸡矢藤属	鸡矢藤	*Paederia scandens*	*	
627	忍冬科	接骨木属	接骨木	*Sambucus williamsii*	*	
628		荚蒾属	蒙古荚蒾	*Viburnum mongolicum*	*	
629		锦带花属	锦带花	*Weigela florida*	△ *	
630			红王子锦带花	*Weigela florida* cv. Red Prince	△ *	

（续）

序号	科	属	种		分类	保护等级
			中文名	拉丁名		
631	忍冬科	忍冬属	金银木	*Lonicera maackii*	△ *	
632	败酱科	缬草属	缬草	*Valeriana officinalis*	*	
633		败酱属	黄花龙芽	*Patrinia scabiosaefolia*	*	
634			糙叶败酱	*Patrinia scabra*	*	
635			异叶败酱	*Patrinia heterophylla*	*	
636	川续断科	续断属	日本续断	*Dipsacus japonicus*	◇	
637	葫芦科	栝楼属	栝楼	*Trichosanthes kirilowii*	△ *	
638		盒子草属	盒子草	*Actinostemma tenerum*	◇	
639		裂瓜属	裂瓜	*Schizopepon bryoniaefolius*	△ *	
640		赤瓟属	赤瓟	*Thiadiantha dubia*	*	
641		南瓜属	南瓜	*Cucurbita moschata*	△ *	
642			西葫芦	*Cucurbita pepo*	△ *	
643			臭瓜	*Cucurbita foetidissima*	△ *	
644		葫芦属	葫芦	*Lagenaria siceraria*	△ *	
645		苦瓜属	苦瓜	*Momordica charantia*	△ *	
646		黄瓜属	黄瓜	*Cucumis sativus*	△ *	
647			甜瓜	*Cucumis melo*	△ *	
648		丝瓜属	丝瓜	*Luffa cylindrica*	△ *	
649		冬瓜属	冬瓜	*Benincasa hispida*	△ *	
650		西瓜属	西瓜	*Citrullus lanatus*	△ *	
651	桔梗科	桔梗属	桔梗	*Platycodon grandiflorus*	*	北京市地方Ⅱ级
652		风铃草属	紫斑风铃草	*Campanula punctata*	*	
653		沙参属	石沙参	*Adenophora polyantha*	*	
654			沙参	*Adenophora elata*	*	
655			杏叶沙参	*Adenophora remotiflora*	*	
656	菊科	泽兰属	泽兰	*Eupatorium lindleyanum*	◇	
657		马兰属	全叶马兰	*Kalimeris integrifolia*	*	
658			山马兰	*Kalimeris lautureana*	*	
659			裂叶马兰	*Kalimeris incisa*	*	
660			北方马兰	*Kalimeris mongolica*	*	
661		翠菊属	翠菊	*Callsitephus chinensis*	△ *	
662		狗娃花属	阿尔泰狗娃花	*Heteropappus altaicus*	*	
663			狗娃花	*Heteropappus hispidus*	*	
664		紫菀属	紫菀	*Aster tataricus*	◇	
665			三褶脉紫菀	*Aster ageratoides*	*	

（续）

序号	科	属	种		分类	保护等级
			中文名	拉丁名		
666	菊科	紫菀属	钻叶紫菀	*Aster sublatus*	◇◆	
667		沙菀属	沙菀	*Arctoeron gramineum*	*	
668		碱菀属	碱菀	*Tripolium vulgare*	◇	
669		飞蓬属	长茎飞蓬	*Erigeron elongates*	*	
670			勘察加飞蓬	*Erigeron kamtschaticus*	*	
671			飞蓬	*Erigeron acer*	*	
672			一年蓬	*Erigeron annuus*	*	
673		白酒菊属	小白酒菊	*Conyza canadensis*	*	
674		火绒草属	长叶火绒草	*Leontopodium longifolium*	*	
675			火绒草	*Leontopodium leontopodioides*	*	
676		旋覆花属	欧亚旋覆花	*Inula britannica*	◇	
677			旋覆花	*Inula japonica*	◇	
678			线叶旋覆花	*Inula lineariifolia*	*	
679			砂旋覆花	*Inula salsoloides*	*	
680			柳叶旋覆花	*Inula salicina*	◇	
681		天名精属	烟管头草	*Carpesium cernuum*	◇	
682			天名精	*Carpesium abrotanoides*	*◆	
683		和尚菜属	和尚菜	*Adenocaulon himalaicum*	◇	
684		苍耳属	苍耳	*Xanthium sibiricum*	*	
685			意大利苍耳	*Xanthium italicum*	*	
686		豚草属	豚草	*Ambrosia artemisiaefolia*	◇	
687			三裂叶豚草	*Ambrosia trifida*	◇	
688		百日菊属	百日菊	*Zinnia elegans*	△*	
689		豨莶属	腺梗豨莶	*Siegesbeckia pubescens*	*	
690		鳢肠属	鳢肠	*Edipta prostrata*	◇	
691		金光菊属	黑心金光菊	*Rudbeckia hirta*	△*	
692		松香草属	串叶松香草	*Silphium perfoliatum*	△*	
693		向日葵属	向日葵	*Helianthus annuus*	△*	
694			菊芋	*Helianthus tuberosus*	△*	
695		金鸡菊属	金鸡菊	*Coreopsis basalis*	△*	
696		大丽花属	大丽花	*Dahlia pinnata*	◇	
697		秋英属（波斯菊属）	秋英	*Cosmos biplinnatus*	◇	
698		鬼针草属	鬼针草	*Bidens bipinnata*	*	
699			小花鬼针草	*Bidens parviflora*	◇	
700			三叶鬼针草	*Bidens pilosa*	◇	

（续）

序号	科	属	种		分类	保护等级
			中文名	拉丁名		
701	菊科	鬼针草属	狼杷草	*Bidens tripartita*	◇	
702			柳叶鬼针草	*Bidens cernua*	◇	
703		牛膝菊属	辣子草	*Galinsoga parviflora*	△ *	
704		万寿菊属	红黄草	*Tagetes patula*	△ *	
705			万寿菊	*Tagetes erecta*	△ *	
706		天人菊属	大天人菊	*Gaillardia aristata*	△	
707		蓍属	高山蓍	*Achillea alpina*	*	
708		菊属	菊花	*Dendranthema morifolium*	△	
709			甘菊	*Dendranthema lavandulifolium*	*	
710			小红菊	*Dendranthema chanetii*	*	
711			紫花野菊	*Dendranthema zawadskii*	*	
712		石胡荽属	石胡荽	*Centippeda minima*	◇	
713		蒿属	大籽蒿	*Artemisia sieversiana*	*	
714			猪毛蒿	*Artemisia scoparia*	*	
715			茵陈蒿	*Artemisia capillaris*	*	
716			沙蒿	*Artemisia desertorum*	*	
717			南牡蒿	*Artemisia eriopoda*	*	
718			牡蒿	*Artemisia japonica*	◇	
719			牛尾蒿	*Artemisia subdigitata*	*	
720			黄花蒿	*Artemisia annua*	*	
721			青蒿	*Artemisia apiacea*	*	
722			白莲蒿	*Artemisia gmelinii*	*	
723			毛莲蒿	*Artemisia vestita*	*	
724			细裂叶蒿	*Artemisia tanacetifolia*	*	
725			柳叶蒿	*Artemisia integrifolia*	◇	
726			蒌蒿	*Artemisia selengensis*	◇	
727			矮蒿	*Artemisia feddei*	*	
728			艾蒿	*Artemisia argyi*	*	
729			野艾蒿	*Artemisia lavandulaefolia*	*	
730			蒙古蒿	*Artemisia mongolica*	*	
731		千里光属	狗舌草	*Senecio kirilowii*	*	
732			林荫千里光	*Senecio nemorensis*	*	
733			羽叶千里光	*Senecio argunensis*	*	
734			大花千里光	*Senecio ambraceus*	*	
735		橐吾属	狭苞橐吾	*Ligularia intermedia*	*	

（续）

序号	科	属	种		分类	保护等级
			中文名	拉丁名		
736	菊科	蓝刺头属	蓝刺头	*Echinops latifolius*	*	
737		牛蒡属	牛蒡	*Arctium lappa*	◇	
738		飞廉属	飞廉	*Carduus cirspus*	*	
739		蓟属	刺儿菜	*Cirsium setosum*	*	
740			魁蓟	*Cirsium leo*	◇	
741			大蓟	*Cirsium japonicum*	◇	
742		泥胡菜属	泥胡菜	*Hemistepta lylata*	*	
743		风毛菊属	京风毛菊	*Saussurea chinnampoensis*	*	
744			风毛菊	*Saussurea amara*	*	
745			篦苞风毛菊	*Saussurea pectinata*	*	
746			银背风毛菊	*Saussurea nivea*	*	
747		山牛蒡属	山牛蒡	*Synurus deltoides*	*	
748		麻花头属	多头麻花头	*Serratula polyeephala*	*	
749		祁州漏芦属	祁州漏芦	*Phapontiecum uniflorum*	*	
750		矢车菊属	矢车菊	*Centaurea cyanus*	△	
751		大丁草属	大丁草	*Leibnitzia anandria*	*	
752		猫儿菊属	猫儿菊	*Achyrophorus ciliatus*	*	
753		鸦葱属	细叶鸦葱	*Seorzonera albicaulis*	*	
754			鸦葱	*Seorzonera austriaca*	*	
755		毛连菜属	毛连菜	*Picris japonica*	◇	
756		蒲公英属	白花蒲公英	*Taraxacum leucanthum*	*	
757			芥叶蒲公英	*Taraxacum brassicaefolium*	*	
758			红梗蒲公英	*Taraxacum erythropodium*	*	
759			白缘蒲公英	*Taraxacum platupecidum*	*	
760			蒲公英	*Taraxacum mongolicum*	*	
761		苦苣菜属	苣荬菜	*Sonchus brachyotus*	◇	
762			苦苣菜	*Sonchus oleraceus*	◇	
763		莴苣属	翼柄山莴苣	*Lactuca triangulata*	◇	
764			山莴苣	*Lactuca indica*	*	
765			莴苣	*Lactuca sativa*	*	
766			毛脉山莴苣	*Lactuca raddeana*	◇	
767			北山莴苣	*Lactuca sibirica*	◇	
768			蒙山莴苣	*Lactuca tatarica*	◇	
769		盘果菊属	大叶盘果菊	*Prenanthes macrophylla*	◇	
770		苦荬菜属	苦荬菜	*Ixeris polycephala*	*	

（续）

序号	科	属	种		分类	保护等级
			中文名	拉丁名		
771	菊科	苦荬菜属	秋苦荬菜	*Ixeris denticulata*	*	
772			苦菜	*Ixeris chinensis*	*	
773		菊蒿属	菊蒿	*Tanacetum vulgare*	△	
774	香蒲科	香蒲属	宽叶香蒲	*Typha latifolia*	◇	
775			东方香蒲	*Typha orientalis*	◇	
776			香蒲	*Typha angusitifolia*	◇	
777			小香蒲	*Typha minina*	◇	
778			蒙古香蒲	*Typha davidiana*	◇	
779	黑三棱科	黑三棱属	黑三棱	*Sparganium stoloniferum*	◇	北京市地方Ⅱ级
780	眼子菜科	眼子菜属	浮叶眼子菜	*Potamogeton natans*	⊙	
781			眼子菜	*Potamogeton distinctus*	⊙	
782			马来眼子菜	*Potamogeton malaianus*	⊙	
783			穿叶眼子菜	*Potamogeton perfoliatus*	⊙	
784			光叶眼子菜	*Potamogeton lucens*	⊙	
785			菹草	*Potamogeton crispus*	⊙	
786			线叶眼子菜	*Potamogeton pusillus*	⊙	
787			篦齿眼子菜	*Potamogeton pectinatus*	⊙	
788			竹叶眼子菜	*Potamogeton malaianus*	⊙	
789		角果藻属	角果藻	*Zannichellia palustris*	⊙	
790	茨藻科	茨藻属	大茨藻	*Najas marina*	⊙	
791			小茨藻	*Najas minor*	⊙	
792	水麦冬科	水麦冬属	水麦冬	*Triglochin palustre*	◇	
793	泽泻科	泽泻属	泽泻	*Alisma orientale*	⊙	
794			草泽泻	*Alisma gramineum*	⊙◆	
795		慈姑属	野慈姑	*Sagittaria trifolia*	⊙	
796			慈姑	*Sagittaria trifolia* var. *sinensis*	⊙	
797	花蔺科	花蔺属	花蔺	*Butomus umbellatus*	⊙	北京市地方Ⅱ级
798	水鳖科	水鳖属	白萍	*Hydrocharis dubia*	⊙	
799		黑藻属	黑藻	*Hydrilla vertillata*	⊙	
800		苦草属	苦草	*Vallisneria asiaticas*	⊙	
801	禾本科	刚竹属	早园竹	*Phyllostachys propinqua*	△ *	
802		羊茅属	远东羊茅	*Festuca extremiorientalis*	*	
803			紫羊茅	*Festuca rubra*	*	
804			高羊茅	*Festuca arundinacea*	* ◆	
805		早熟禾属	西伯利亚早熟禾	*Poa sibirica*	*	

（续）

序号	科	属	种		分类	保护等级
			中文名	拉丁名		
806	禾本科	早熟禾属	草地早熟禾	*Poa pratensis*	*	
807			硬质早熟禾	*Poa sphondylodes*	*	
808			早熟禾	*Poa annua*	*	
809			白顶早熟禾	*Poa acroleuca*	*	
810		硷茅属	星星草	*Puccinellia tenuiflora*	*	
811			微药硷茅	*Puccinellia micrandra*	◇	
812			硷茅	*Puccinellia distans*	*	
813		臭草属	臭草	*Melica scabrosa*	*	
814			细叶臭草	*Melica radula*	*	
815			抱草	*Melica virgata*	*	
816			大臭草	*Melica turczaninoviana*	*	
817		雀麦属	无芒雀麦	*Bromas inermis*	◇	
818			雀麦	*Bromas japonicus*	◇	
819		隐子草属	糙隐子草	*Cleistogenes squarrosa*	*	
820			宽叶隐子草	*Cleistogenes hackeii* var. *nakai*	*	
821			丛生隐子草	*Cleistogenes caespitosa*	*	
822			中华隐子草	*Cleistogenes chinensis*	*	
823		画眉草属	大画眉	*Ergrostis cilianensis*	*	
824			小画眉草	*Ergrostis minor*	*	
825			画眉草	*Ergrostis pilosa*	*	
826		龙常草属	龙常草	*Diarrhena manshurica*	◇	
827		獐毛属	獐毛草	*Aeluropus sinensis*	◇	
828		芦苇属	芦苇	*Phragmites australis*	◇	
829		鹅观草属	鹅观草	*Roegneria kamoji*	*	
830			直穗鹅观草	*Roegneria turczaninovii*	*	
831			毛节毛盘草	*Roegneria barbicalla* var. *pubinodis*	*	
832		小麦属	小麦	*Triticum aestivum*	△	
833		黑麦属	黑麦	*Secale cereale*	△	
834		披碱草属	老芒麦	*Elymus sibiricus*	*	
835			披碱草	*Elymus dahuricus*	*	
836			垂穗披碱草	*Elymus nutans*	*	
837		毒麦属	毒麦	*Lolium temulentum*	△	
838		蟋蟀草属	蟋蟀草	*Eleusine indica*	*	
839		虎尾草属	虎尾草	*Chloris virgata*	*	
840		茵草属	茵草	*Beckmannia syzigachne*	◇	

（续）

序号	科	属	种		分类	保护等级
			中文名	拉丁名		
841	禾本科	野牛草属	野牛草	*Buchloe dactyloides*	△	
842		落草属	落草	*Koeleria cristata*	◇	
843		拂子茅属	拂子茅	*Calamagrostis epigejos*	◇	
844			假苇拂子茅	*Calamagrostis pseudophragmites*	◇	
845			野青茅	*Calamagrostis arundinacea*	*	
846		剪股颖属	小糠草	*Agrostis gigantean*	*	
847			华北剪股颖	*Agrostis clavata*	*	
848		乱子草属	乱子草	*Muhlebergia hugelii*	*	
849		看麦娘属	看麦娘	*Alopecurus aequalis*	◇	
850		隐花草属	隐花草	*Crypsis aculeata*	◇	
851			蔺状隐花草	*Grypsis schoenoides*	◇◆	
852		粟草属	粟草	*Milium effusum*	*	
853		芨芨草属	远东芨芨草	*Achnatherum extremiorientale*	◇	
854			京芒草	*Achnatherum pekinense*	*	
855			芨芨草	*Achnatherum spendens*	* ◆	
856		针茅属	长芒草	*Stipa bungeana*	*	
857			大针茅	*Stipa grandis*	*	
858		三芒草属	三芒草	*Aristida adscensionis*	*	
859		茅香属	光稃茅香	*Hierochloe glabra*	◇	
860		虉草属	虉草	*Phalaris arundinacea*	◇	
861		稻属	稻	*Oryza sativa*	△	
862		假稻属	假稻	*Leersia hexandra*	◇	
863			蓉草	*Leersia orzoides*	◇◆	
864		菰属	茭白	*Zizania latifolia*	◇	
865		柳叶箬属	柳叶箬	*Isachne globosa*	◇	
866		黍属	黍	*Panicum miliaceum*	△	
867			水生黍	*Panicum paludosum*	⊙◆	
868			柳枝黍	*Panicum virgatum*	◇◆	
869			发枝稷	*Panicum trichoides*	◇	
870			糠稷	*Panicum bisulcatum*	◇	
871		稗属	稗	*Echinochloa crusgalli*	◇	
872			长芒稗	*Echinochloa caudata*	◇	
873			无芒稗	*Echinochloa crusgalli* var. *mitis*	◇	
874			西来稗	*Echinochloa crusgalli* var. *zelayansis*	◇	
875			旱稗	*Echinochloa crusgallii* var. *hispidula*	◇	

（续）

序号	科	属	种		分类	保护等级
			中文名	拉丁名		
876	禾本科	野黍属	野黍	*Eriochloa villosa*	*	
877		马唐属	止血马唐	*Digithrin ischaemum*	*	
878			马唐	*Digithrin sanguinalis*	*	
879			毛马唐	*Digithrin ciliaris*	*	
880			紫马唐	*Digithrin violascens*	*	
881		狗尾草属	粟	*Setaria italica*	△	
882			金毛狗尾草	*Setaria glauca*	*	
883			狗尾草	*Setaria viridis*	*	
884			紫毛狗尾草	*Setaria viridis* var. *purpuracens*	*	
885		狼尾草属	狼尾草	*Pennisetum alopecuroides*	*	
886			白草	*Pennisetum flaccidum*	◇	
887		野古草属	野古草	*Arundinella hirta*	*	
888		结缕草属	结缕草	*Zoysia japonica*	*	
889		虱子草属	虱子草	*Tragus berteronianus*	*	
890		芒属	荻	*Miscanthus sacchariflorus*	◇	
891			芒	*Miscanthus sinensis*	◇	
892		白茅属	白茅	*Imperata cylindrical*	◇	
893		大油芒属	大油芒	*Spodiopogon sibiricus*	*	
894		牛鞭草属	牛鞭草	*Hemarthria altissima*	◇	
895		荩草属	茅叶荩草	*Arthraxon labceikatys*	◇	
896			荩草	*Arthraxon hispidus*	◇	
897		高粱属	高粱	*Sorghum vulgare*	△	
898			苏丹草	*Sorghum vulgare*	△	
899		孔颖草属	白羊草	*Bothriochloa ischaemum*	*	
900		菅草属	黄背草	*Themeda japonica*	*	
901		玉蜀黍属	玉蜀黍	*Zea mays*	△ *	
902	莎草科	藨草属	藨草	*Scirpus triqueter*	◇	
903			水毛花	*Scirpus triangulatus*	◇	
904			水葱	*Scirpus validus*	◇	
905			萤蔺	*Scirpus juncoides*	◇	
906			荆三棱	*Scirpus yagara*	◇	
907			扁秆藨草	*Scirpus planiculmis*	◇	
908		荸荠属	荸荠	*Eleocharis tuberosus*	◇	
909			牛毛毡	*Eleocharis yokoscensis*	◇	
910			卵穗荸荠	*Eleocharis ovata*	◇	

（续）

序号	科	属	种		分类	保护等级
			中文名	拉丁名		
911	莎草科	荸荠属	针蔺	*Eleocharis valleculosa*	◇	
912			中间型荸荠	*Eleocharis intersita*	◇	
913		飘拂草属	单穗飘拂草	*Fimbristylis subbispicata*	◇	
914			光果飘拂草	*Fimbristylis stauntoni*	◇	
915			两歧飘拂草	*Fimbristylis dichotoma*	◇	
916			复序飘拂草	*Fimbristylis bisumellata*	◇	
917		莎草属	香附子	*Cyperus rotundus*	◇	
918			球穗莎草	*Cyperus glomeratus*	◇	
919			迭穗莎草	*Cyperus imbricatus*	◇	
920			碎米莎草	*Cyperus iria*	◇	
921			黄颖莎草	*Cyperus microiria*	◇	
922			阿穆尔莎草	*Cyperus amuricus*	◇	
923			扁穗莎草	*Cyperus compressus*	◇	
924			旱伞草	*Cyperus alternifolius*	◇	
925			褐穗莎草	*Cyperus fuscus*	◇	
926			异型莎草	*Cyperus difformis*	◇	
927			旋鳞莎草	*Cyperus michelianus*	◇	
928			白鳞莎草	*Cyperus nipponicus*	◇	
929		扁莎属	球穗扁莎草	*Pyereus globosus*	◇	
930			红鳞扁莎	*Pyereus sanguiolentus*	◇	
931		水莎草属	水莎草	*Jancellus serotinus*	◇	
932			花穗水莎草	*Jancellus pannonicus*	◇	
933		薹草属	翼果薹草	*Carex neurocarpa*	◇	
934			尖嘴薹草	*Carex leiorhyncha*	◇	
935			细叶薹草	*Carex rigescens*	◇	
936			异鳞薹草	*Carex heterolepis*	◇	
937			宽叶薹草	*Carex siderosticta*	◇	
938			麻根薹草	*Carex arnellii*	◇	
939			鸭绿薹草	*Carex jaluensis*	◇	
940			低矮薹草	*Carex humilis* var. *humilis*	◇	
941			披针叶薹草	*Carex lanceolata*	◇	
942			青绿薹草	*Carex leucochlora*	◇	
943			华北薹草	*Carex hancockiana*	◇	
944			扁秆薹草	*Carex planiculmis*	◇	
945	天南星科	菖蒲属	菖蒲	*Acorus calamus*	◇	

（续）

序号	科	属	种		分类	保护等级
			中文名	拉丁名		
946	天南星科	大薸属	大薸	*Pistia stratlotes*	⊙	
947		天南星属	东北南星	*Arisaema amurense*	◇	
948			一把伞南星	*Arisaema erubescens*	◇	
949		半夏属	半夏	*Pinellia ternate*	◇	
950	浮萍科	浮萍属	品藻	*Lemna trisulca*	⊙	
951			浮萍	*Lemna minor*	⊙	
952		紫萍属	紫萍	*Spirodela polyrhiza*	⊙	
953	鸭跖草科	鸭跖草属	鸭跖草	*Commelina communis*	◇	
954			火柴头	*Commelina benghalensisi*	◇	
955		竹叶子属	竹叶子	*Streptolirion volubile*	◇	
956	雨久花科	雨久花属	雨久花	*Monochoria korsakowii*	⊙	
957			鸭舌草	*Monochoria vaginalis*	⊙	
958		凤眼蓝属	凤眼蓝	*Eichhornia crassipes*	⊙	
959	灯心草科	灯心草属	小花灯心草	*Juncus articulatus*	◇	
960			小灯心草	*Juncus bufonius*	◇	
961			细灯心草	*Juncus gracillimus*	◇	
962			灯心草	*Juncus decipiens*	◇	
963	百合科	天门冬属	曲枝天门冬	*Asparagus trichophyllus*	*	
964			兴安天门冬	*Asparagus dauricus*	*	
965		玉簪属	玉簪	*Hosta plantaginea*	◇	
966			紫萼	*Hosta ventricosa*	◇	
967		知母属	知母	*Anemarrhena asphodeloides*	*	北京市地方Ⅱ级
968		萱草属	黄花菜	*Hemerocallis citrina*	*	
969			萱草	*Hemerocallis fulva*	*	
970			金娃娃萱草	*Hemerocallis fulva* 'Golden Doll'	△*	
971		山麦冬属	山麦冬	*Liriope spicata*	◇	
972			禾叶土麦冬	*Liriope graminiflia*	◇	
973		沿阶草属	沿阶草	*Ophiopogon japonicus*	◇	
974		黄精属	黄精	*Polyonatum sibiricum*	*	北京市地方Ⅱ级
975			热河黄精	*Polyonatum odoratum*	*	
976		葱属	韭菜	*Allium tuberosum*	△*	
977			蒜	*Allium sativum*	△*	
978			细叶韭	*Allium tenuissimum*	△*	
979			薤白	*Allium macrostemon*	*	
980			砂韭	*Allium bidentatum*	*	

（续）

序号	科	属	种		分类	保护等级
			中文名	拉丁名		
981	百合科	葱属	洋葱	*Allium cepa*	△＊	
982			葱	*Allium fistulosum*	△＊	
983			野韭菜	*Allium ramosum*	＊	
984		百合属	山丹	*Lilium pumilum*（*Lilium tenuifolium*）	＊	北京市地方Ⅱ级
985	薯蓣科	薯蓣属	穿山龙	*Dioscorea nipponica*	＊	
986			野山药	*Dioscorea doryophora*	＊	
987			山药	*Dioscorea opposita*	△＊	
988	鸢尾科	鸢尾属	德国鸢尾	*Iris germanica*	△＊	
989			鸢尾	*Iris tectorum*	△＊	
990			马蔺	*Iris lactea* var. *chinensis*	＊	
991			野鸢尾	*Iris dichotoma*	＊	
992			黄花鸢尾	*Iris pseudacorus*	◇	
993	美人蕉科	美人蕉属	美人蕉	*Canna indica*	△＊	
994	兰科	绶草属	绶草	*Spiranthes sinensis*	◇	北京市地方Ⅱ级

注：1. ⊙水生植物；◇湿生植物；＊旱生植物；△栽培植物；◆新记录植物。

2. 保护等级：分国家Ⅰ级保护、国家Ⅱ级保护、北京市地方Ⅰ级保护、北京市地方Ⅱ级保护。

3. 北京有湿地植物(湿生、水生植物)66科196属368种。

附录2　北京湿地调查区域动物名录

序号	目	科	种		数量级/数量
			中文名	拉丁名	
(一)鱼　类					
1	鲱形目	鳀科	鲚	*Coilia ectenes*	+ + +
2	鲑形目	鲑科	细鳞鱼	*Brachymystax lenok*	+ + +
3	鲤形目	鲤科	宽鳍鱲	*Zacco platypus*	+ + + +
4			马口鱼	*Opsariichthys bidens*	+ + + +
5			中华细鲫	*Aphyocypris chinensis*	+ + +
6			青鱼	*Mylopharyngodon piceus*	+ + +
7			鯮	*Luciorama macrocephalus*	+
8			草鱼	*Ctenopharyngodon idellus*	+ + + +
9			洛氏鲅	*Phoxinus lagowskii*	+ + + +
10			张氏鲅	*Phoxinus tchangi*	+ + +
11			东北雅罗鱼	*Leuciscus waleckii*	+ + +
12			赤眼鳟	*Squaliobarbus curriculus*	+ + +
13			鳤	*Ochetobius elongatus*	+
14			鳡	*Elopichthys bambusa*	+
15			寡鳞飘鱼	*Pseudolaubuca engraulis*	+ + +
16			似鲚	*Toxabramis swinhonis*	+ + +
17			鳘鲦	*Hemiculter leucisculus*	+ + + +
18			贝氏鳘	*Hemiculter bleekeri*	+ + + +
19			红鳍鲌	*Culter erythropterus*	+ + +
20			青梢红鲌	*Erythroculter dabryi*	+ + +
21			翘嘴红鲌	*Erytroculter ilishaeformis*	+ + +
22			鳊	*Parabramis pekinensis*	+ + +
23			细鳞斜颌鲴	*Plagiognathops microrepis*	+
24			银鲴	*Xenocypris argentea*	+ + +
25			黄尾鲴	*Xenocypris davidi*	+ + +
26			逆鱼	*Acanthobrama simoni*	+ + +
27			中华鳑鲏	*Rhodeus sinensis*	+ + + +
28			彩石鳑鲏	*Rhodeus lighti*	+ + +
29			须鱊	*Acheilognathus barbatus*	+ + +
30			大鳍鱊	*Acheilognathus barbatus*	+ + +
31			越南鱊	*Acheilognathus tonkinensis*	+ + +
32			短须鱊	*Acheilognathus barbatulus*	+ + +
33			斑条鱊	*Acheilognathus taenianalis*	+ + +
34			光凯鱊	*Acheilognathus chankaensis*	+ + +

（续）

序号	目	科	种		数量级/数量
			中文名	拉丁名	
35	鲤形目	鲤科	白河鱊	*Acheilognathus peihoensis*	+ + +
36			彩副鱊	*Paracheilognathus imberbis*	+ + +
37			多鳞铲颌鱼	*Varicorhinus macroleois*	+
38			唇䱻	*Hemibarbus labeo*	+ + +
39			花䱻	*Hemibarbus maculatus*	+ + +
40			麦穗鱼	*Pseudorasbora parva*	+ + +
41			华鳈	*Sarcocheilichthys sinensis*	+ + +
42			黑鳍鳈	*Sarcocheilichthys nigripinnis*	+ + +
43			棒花鮈	*Gobio gobio rivuloides*	+ + +
44			细体鮈	*Gobio tenuicorpus*	+ + +
45			东北颌须鮈	*Gnathopogon mantschuricus*	+ + +
46			点纹银鮈	*Gnathopogon worterstorffi*	+ + +
47			棒花鱼	*Abbottina rivularis*	+ + + +
48			蛇鮈	*Saurogobio dabryi*	+ + +
49			鲤鱼	*Cyprinus carpio*	+ + + +
50			鲫鱼	*Carassius auratus*	+ + + +
51			鳅鮀	*Gobiobotia pappenheimi*	+ + +
52			鳙	*Aristichthys nobilis*	+ + + +
53			鲢	*Hypophthalmichthys molitrix*	+ + + +
54		鳅科	北鳅	*Lefua costata*	+ + +
55			北方须鳅	*Barbatula barbatula nuda*	+ + +
56			北方条鳅	*Noemacheilus nudus*	+ + +
57			达里湖高原鳅	*Triplophysa dalaica*	+ + +
58			赛丽高原鳅	*Triplophysa sellaefer*	+ + +
59			尖头高原鳅	*Triplophysa cuneicephala*	+ + +
60			黄沙鳅	*Botia xanthi*	+ + +
61			东方薄鳅	*Leptobotia orientalis*	+ + +
62			黄线薄鳅	*Leptobtoia flavolineata*	+ + +
63			北方花鳅	*Cobitis granoci*	+ + +
64			泥鳅	*Misgurnus anguillicaudatus*	+ + + +
65			大鳞泥鳅	*Paramisgurnus dabryanus*	+ + +
66	鲇形目	鲇科	鲇鱼	*Silurus asotus linnaeus*	+ + +
67		鲿科	黄颡鱼	*Pelteobagrus fulvidraco*	+ + + +
68			乌苏里拟鲿	*Pseudobagrus ussuriensis*	+ + +
69	鳉形目	大颌鳉科	青鳉	*Oryzias latipes*	+ + +
70	刺鱼目	刺鱼科	中华多刺鱼	*Pungitius sinensis*	+ + +
71	合鳃目	合鳃科	黄鳝	*Monopterus albus*	+ + +
72	鲈形目	鳜科	鳜鱼	*Siniperca chuatsi*	+
73		塘鳢科	黄黝鱼	*Hypseleotris swinhonis*	+ + +

（续）

序号	目	科	种		数量级/数量
			中文名	拉丁名	
74	鲈形目	鰕虎鱼科	普栉鰕虎鱼	*Ctenogobius giurinus*	+ + +
75		斗鱼科	圆尾斗鱼	*Macropodus chinensis*	+ + +
76		刺鳅科	刺鳅	*Mastacembelus aculeatus*	+ + +
77	鳢形目	乌鳢科	乌鳢	*Channa argus*	+ + +

注：数量级用“＋＋＋＋”、“＋＋＋”、“＋＋”和“＋”表示。

（二）两栖类

序号	目	科	种		保护等级	数量级/数量
			中文名	拉丁名		
1	有尾目	隐鳃鲵科	大鲵	*Andrias davidianus*	国家Ⅱ级	+
2	无尾目	铃蟾科	东方铃蟾	*Bombina orientalis*	北京市地方Ⅱ级	+ + +
3		蟾蜍科	中华大蟾蜍	*Bufo gargarizans*		+ + + +
4			花背蟾蜍	*Bufo raddei*	北京市地方Ⅱ级	+ + + +
5		蛙科	黑斑蛙	*Pelophylax nigromaculate*	北京市地方Ⅱ级	+ + + +
6			金线蛙	*Rana plancyi*	北京市地方Ⅱ级	+ + +
7			中国林蛙	*Rana chensinensis*	北京市地方Ⅱ级	+ + + +
8		姬蛙科	北方狭口蛙	*Kaloula borealis*		+ + +

注：1. 保护等级：分国家Ⅰ级、国家Ⅱ级、北京市地方Ⅰ级、北京市地方Ⅱ级。

2. 数量级：用“＋＋＋＋”“＋＋＋”“＋＋”和“＋”表示，国家Ⅰ级、国家Ⅱ级保护种类应填写种群数量。

（三）爬行类

序号	目	科	种		保护等级	数量级/数量
			中文名	拉丁名		
1	龟鳖目	鳖科	鳖	*Pelodiscus sinensis*		+ + +
2	蜥蜴目	蜥蜴科	丽斑麻蜥	*Eremias argus*		+ +
3	蛇目	游蛇科	黄脊游蛇	*Coluber spinalis*	北京市地方Ⅱ级	+ + +
4			赤链蛇	*Dinodon rufozonatum*	北京市地方Ⅱ级	+ + +
5			玉斑锦蛇	*Elaphe mandarina*	北京市地方Ⅱ级	+ + +
6			红点锦蛇	*Elaphe rufodorsata*	北京市地方Ⅱ级	+ + + +
7			黑眉锦蛇	*Elaphe taeniura*	北京市地方Ⅱ级	+ + +
8			虎斑颈槽蛇	*Rhabdophis tigrinus*	北京市地方Ⅱ级	+ + + +
9			乌梢蛇	*Zaocys dhumnades*	北京市地方Ⅱ级	+

注：1. 保护等级：分国家Ⅰ级、国家Ⅱ级、北京市地方Ⅰ级、北京市地方Ⅱ级。

2. 数量级：用“＋＋＋＋”“＋＋＋”“＋＋”和“＋”表示，国家Ⅰ级、国家Ⅱ级保护种类应填写种群数量。

(四)鸟 类

序号	目	科	种		保护等级	种群数量(只)	IUCN濒危等级	居留型
			中文名	拉丁名				
1	䴙䴘目	䴙䴘科	小䴙䴘	*Tachybaptus ruficollis*	北京市地方Ⅱ级	42		S
2			赤颈䴙䴘	*Podiceps grisegena*	国家Ⅱ级	3		P
3			黑颈䴙䴘	*Podiceps nigricollis*	北京市地方Ⅰ级	8		P
4			角䴙䴘	*Podiceps auritus*	国家Ⅱ级	1		P
5			凤头䴙䴘	*Podiceps cristatus*	北京市地方Ⅰ级	22		P
6	鹈形目	鸬鹚科	普通鸬鹚	*Phalacrocorax carbo*	北京市地方Ⅱ级	16		
7	鹳形目	鹭科	苍鹭	*Ardea cinerea*	北京市地方Ⅱ级	280		S
8			草鹭	*Ardea purpurea*	北京市地方Ⅱ级	8		S
8			草鹭	*Ardea purpurea*	北京市地方Ⅱ级	8		S
9			池鹭	*Ardeola bacchus*	北京市地方Ⅱ级	400		
10			大白鹭	*Egretta alba*	北京市地方Ⅰ级	24	低危	P S
11			中白鹭	*Egretta intermedia*	北京市地方Ⅰ级	12		P
12			小白鹭	*Egretta garzetta*	北京市地方Ⅱ级	12		P S
13			绿鹭	*Butorides striatus*	北京市地方Ⅱ级	2		
14			夜鹭	*Nycticorax nycticorax*	北京市地方Ⅱ级	2400		
15			黄苇鳽	*Ixobrychus sinensis*	北京市地方Ⅱ级	12		
16			紫背苇鳽	*Ixobrychus eurhythmus*	北京市地方Ⅱ级	8		
17			大麻鳽	*Botaurus stellaris*	北京市地方Ⅱ级	3		P S
18		鹳科	黑鹳	*Ciconia nigra*	国家Ⅰ级	15	濒危	
19			东方白鹳	*Ciconia boyciana*	国家Ⅰ级	19	濒危	P
20		鹮科	白琵鹭	*Platalea leucorodia*	国家Ⅱ级	25	易危	P
21	雁形目	鸭科	大天鹅	*Cygnus cygnus*	国家Ⅱ级	269	易危	P
22			小天鹅	*Cygnus columbianus*	国家Ⅱ级	4	易危	P
23			鸿雁	*Anser cygnoides*	北京市地方Ⅰ级	96		P
24			豆雁	*Anser fabalis*	北京市地方Ⅱ级	200		P W
25			灰雁	*Anser anser*	北京市地方Ⅱ级	5		P
26			白额雁	*Anser albifrons*	国家Ⅱ级	1		P
27			赤麻鸭	*Tadorna ferruginea*	北京市地方Ⅱ级	500		P
28			翘鼻麻鸭	*Tadorna tadorna*	北京市地方Ⅱ级	14		P
29			针尾鸭	*Anas acuta*	北京市地方Ⅱ级	240	低危	P
30			绿翅鸭	*Anas crecca*	北京市地方Ⅱ级	757	低危	P
31			花脸鸭	*Anas formosa*	北京市地方Ⅰ级	50	濒危	P
32			罗纹鸭	*Anas falcata*	北京市地方Ⅱ级	100		P
33			绿头鸭	*Anas platyrhynchos*	北京市地方Ⅱ级	6000		P S
34			斑嘴鸭	*Anas poecilorhyncha*	北京市地方Ⅱ级	1200		P S

（续）

序号	目	科	种		保护等级	种群数量（只）	IUCN濒危等级	居留型
			中文名	拉丁名				
35	雁形目	鸭科	赤膀鸭	*Anas strepera*	北京市地方Ⅱ级	40		P
36			赤颈鸭	*Anas penelope*	北京市地方Ⅱ级	30	低危	P
37			白眉鸭	*Anas querquedula*	北京市地方Ⅱ级	12	低危	P
38			琵嘴鸭	*Anas clypeata*	北京市地方Ⅱ级	20	低危	P
39			赤嘴潜鸭	*Netta rufina*	北京市地方Ⅱ级	10		P
40			红头潜鸭	*Aythya ferina*	北京市地方Ⅱ级	750		P
41			青头潜鸭	*Aythya baeri*	北京市地方Ⅱ级	10		P
42			凤头潜鸭	*Aythya fuligula*	北京市地方Ⅱ级	1500		P
43			白眼潜鸭	*Aythya nyroca*	北京市地方Ⅱ级	28	低危	P
44			斑背潜鸭	*Aythya marila*	北京市地方Ⅱ级	3		P
45			鸳鸯	*Aix galericulata*	国家Ⅱ级	16	易危	P
46			长尾鸭	*Clangula hyemalis*	北京市地方Ⅱ级	1		P
47			斑脸海番鸭	*Melanitta fusca*	北京市地方Ⅱ级	1		P
48			鹊鸭	*Bucephala clangula*	北京市地方Ⅱ级	4500		P
49			斑头秋沙鸭	*Mergus albellus*	北京市地方Ⅱ级	2500		P
50			红胸秋沙鸭	*Mergus serrator*	北京市地方Ⅱ级	3		P
51			普通秋沙鸭	*Mergus merganser*	北京市地方Ⅱ级	3500		P
52	隼形目	鹰科	鹗	*Pandion haliaetus*	国家Ⅱ级	2	野外绝灭	P
53	鹤形目	鹤科	蓑羽鹤	*Anctropoides virgo*	国家Ⅱ级	1	濒危	P
54			灰鹤	*Grus grus*	国家Ⅱ级	620	濒危	*W P*
55			白枕鹤	*Grus vipio*	国家Ⅱ级	7	易危	P
56			白头鹤	*Grus monacha*	国家Ⅰ级	2	绝灭	P
57		秧鸡科	普通秧鸡	*Rallus aquaticus*		2		P
58			白胸苦恶鸟	*Amaurornis thoenicurus*		2		P S
59			斑胁田鸡	*Porzana paykullii*				
60			小田鸡	*Porzana pusilla*		4		
61			红胸田鸡	*Porzana fusca*		2		
62			董鸡	*Gallicrx cinerea*		2		
63			黑水鸡	*Gallinula chloropus*		21		
64			白骨顶	*Fulica atra*		100		P S
65	鸻形目	燕鸻科	普通燕鸻	*Glareola maldivarum*	北京市地方Ⅰ级	80		
66		鸻科	凤头麦鸡	*Vanellus vanellus*		400		P S
67			灰头麦鸡	*Vanellus cinereus*		3		P
68			灰斑鸻	*Pluvialis squatarola*		2		P
69			金斑鸻	*Pluvialis fulva*		81		P

（续）

序号	目	科	种		保护等级	种群数量（只）	IUCN濒危等级	居留型
			中文名	拉丁名				
70	鸻形目	鸻科	剑鸻	*Charadrius hiaticula*		10		P
71			长嘴剑鸻	*Charadrius placidus*		6		P
72			环颈鸻	*Charadrius alexandrinus*		2		P
73			金眶鸻	*Charadrius dubius*		66		P S
74		鹬科	丘鹬	*Scolopax rusticola*		1		P
75			扇尾沙锥	*Gallinago gallinago*		17		P
76			斑尾塍鹬	*Limosa lapponica*		2		P S
77			黑尾塍鹬	*Limosa limosa*		40		P
78			中杓鹬	*Numenius phaeopus*		2		P
79			白腰杓鹬	*Numenius arquata*		12		P
80			红脚鹤鹬	*Tringa erythropus*		36		P
81			红脚鹬	*Tringa totanus*		74		P
82			青脚鹬	*Tringa nebularia*		46		P
83			泽鹬	*Tringa stagnatilis*		88		P
84			白腰草鹬	*Tringa ochropus*		30		P
85			林鹬	*Tringa glareola*		500		P
86			矶鹬	*Actitis hypoleucos*		30		P
87			翘嘴鹬	*Xenus cinereus*		1		P
88			红腹滨鹬	*Calidris canutus*		3		P
89			红胸滨鹬	*Calidris ruficollis*		2		P
90			乌脚滨鹬	*Calidris tenuminckii*		2		P
91			尖尾滨鹬	*Calidris acuminata*		4		P
92		反嘴鹬科	鹮嘴鹬	*Ibidorhyncha struthersii*	北京市地方Ⅰ级	2		R S
93			黑翅长脚鹬	*Himantopus himantopus*	北京市地方Ⅱ级	100		P S
94			反嘴鹬	*Recurvirostra avosetta*		50		P
95	鸥形目	鸥科	黑尾鸥	*Larus crassirostris*		2		P
96			海鸥	*Larus canus*		1		P
97			银鸥	*Larus argentatus*		120		P
98			棕头鸥	*Larus brunnicephalus*		1000		P
99			红嘴鸥	*Larus ridibundus*		1500		P
100			红嘴巨鸥	*Hydroprogne caspia*		2		P
101			须浮鸥	*Chlidonias hybridus*		48		
102			黑浮鸥	*Chlidonias niger*		2		P
103			普通燕鸥	*Sterna hirundo*		52		P
104			白额燕鸥	*Sterna albifrons*		8		P

（续）

序号	目	科	种		保护等级	种群数量（只）	IUCN濒危等级	居留型
			中文名	拉丁名				
105	佛法僧目	翠鸟科	冠鱼狗	*Ceryle lugubris*		2		P R
106			普通翠鸟	*Alcedo atthis*		14		P
107			蓝翡翠	*Halcyon pileata*	北京市地方Ⅰ级	2		

注：1. 保护等级：分国家Ⅰ级、国家Ⅱ级、北京市地方Ⅰ级、北京市地方Ⅱ级。

2. 濒危等级：根据IUCN(2008)划分标准填写，分为：极危、濒危、易危、低危等。

3. 居留型：R－留鸟，W－冬候鸟，S－夏候鸟，P－旅鸟。

（五）哺乳类

序号	目	科	种		保护等级	数量级/数量
			中文名	拉丁名		
1	食虫目	鼩鼱科	水麝鼩	*Chimmarogale himalayicus*		＋＋

注：1. 保护等级：分国家Ⅰ级、国家Ⅱ级、北京市地方Ⅰ级、北京市地方Ⅱ级。

2. 数量级：用“＋＋＋＋”“＋＋＋”“＋＋”和“＋”表示，国家Ⅰ级、国家Ⅱ级保护种类应填写种群数量。

附录3　北京重点调查湿地概况

1. 密云水库重点调查湿地

密云水库重点调查湿地范围面积0.83万公顷，湿地面积为8273.67公顷，主要湿地类型为人工湿地。地理坐标为东经116°48′~117°05′，北纬40°13′~40°43′；位于密云县内。

湿地高等植物64科142属215种。

湿地植被划分为5个群系。

脊椎动物105种。其中，鱼类48种，两栖类3种，爬行类4种，鸟类37种，哺乳类13种。

在国家重点保护野生动物中，湿地鸟类6种，其中国家Ⅰ级保护鸟类1种，国家Ⅱ级保护鸟类5种。

于1960年建立市级自然保护区，受北京市水务局管理，成立了北京市密云水库管理处管理机构。

主要受到干旱、泥沙淤积威胁。

2. 野鸭湖市级湿地自然保护区重点调查湿地

野鸭湖市级湿地自然保护区重点调查湿地范围面积9000公顷，湿地面积为2368.13公顷，主要湿地类型为人工 湿地。地理坐标为东经115°46′~115°59′，北纬40°22′~40°30′；位于延庆县内。

湿地高等植物80科236属391种。国家Ⅱ级保护野生植物1种。

湿地植被划分为7个群系。

脊椎动物134种。其中，鱼类34种，两栖类5种，爬行类5种，鸟类89种，哺乳类1种。

在国家重点保护野生动物中，湿地鸟类11种，其中国家Ⅰ级保护鸟类3种，国家Ⅱ级保护鸟类8种。

于1994年建立县级自然保护区，2000年晋升为市级自然保护区，受北京市延庆县人民政府管理，成立了野鸭湖市级湿地自然保护区管理处管理机构。

主要受到污染、沙化威胁。

3. 汉石桥市级湿地自然保护区重点调查湿地

汉石桥市级湿地自然保护区重点调查湿地范围面积1600公顷，湿地面积为279.79公顷，主要湿地类型为沼泽湿地。地理坐标为东经116°45′~116°50′，北纬40°06′~40°10′；位于顺义区内。

湿地高等植物73科199属307种。国家Ⅱ级保护野生植物1种。

湿地植被划分为7个群系。

脊椎动物98种。其中，鱼类19种，两栖类3种，爬行类5种，鸟类62种，哺乳类9种。

在国家重点保护野生动物中，湿地鸟类6种，其中国家Ⅰ级保护鸟类1种，国家Ⅱ级保护鸟类5种。

于2005年建立市级自然保护区，受北京市园林绿化局、北京市环保局管理，成立了汉石桥市级湿地自然保护区管理处管理机构。

主要受到旅游活动、外来物种入侵、污染威胁。

4. 怀沙－怀九河市级水生野生动物自然保护区重点调查湿地

怀沙－怀九河市级水生野生动物自然保护区重点调查湿地范围面积374.2公顷，湿地面积为220.48公顷，主要湿地类型为河流湿地。地理坐标为东经116°22′~116°36′，北纬40° 18′~40°25′；位于怀柔区内。

湿地高等植物58科147属206种。国家Ⅱ级保护野生植物1种。

湿地植被划分为5个群系。

脊椎动物58种。其中，鱼类24种，两栖类3种，爬行类5种，鸟类26种。

在国家重点保护野生动物中，湿地鸟类4种，其中国家Ⅱ级保护鸟类4种。

于1996年建立市级自然保护区，受北京市怀柔区农业局管理，成立了北京市怀柔区渔政监督管理站管理机构。

主要受到污染、旅游活动威胁。

5. 拒马河市级水生野生动物自然保护区重点调查湿地

拒马河市级水生野生动物自然保护区重点调查湿地范围面积1125公顷，湿地面积为420.85公顷，主要湿地类型为河流湿地。地理坐标为东经115°29′~115°41′，北纬39°34′~39°39′；位于房山区内。

湿地高等植物47科94属116种。国家Ⅱ级保护野生植物1种。

湿地植被划分为6个群系。

脊椎动物66种。其中，鱼类27种，两栖类4种，爬行类5种，鸟类30种。

于1996年建立市级自然保护区，受北京市房山区动物卫生监督管理局管理，成立了拒马河水生野生动物自然保护区管理所管理机构。

主要受到污染、旅游开发、挖沙威胁。

6. 白河堡水库县级自然保护区重点调查湿地

白河堡水库县级自然保护区重点调查湿地范围面积8260公顷，湿地面积为373.99公顷，主要湿地类型为人工湿地。地理坐标为东经116°08′~116°10′，北纬40°09′~40°40′；位于延庆县内。

湿地高等植物20科45属54种。国家Ⅱ级保护是野生植物1种。

湿地植被划分为4个群系。

脊椎动物11种。其中，鱼类6种，两栖类3种，鸟类2种。

于1999年建立县级自然保护区，受北京市延庆县园林绿化局管理，成立了北京市延庆县白河堡水库县级自然保护区管理处管理机构。

主要受到泥沙淤积、旅游活动威胁。

7. 金牛湖县级自然保护区重点调查湿地

金牛湖县级自然保护区重点调查湿地范围面积1000公顷，湿地面积为80.31公顷，主要湿地类型为人工湿地。地理坐标为东经116°04′~116°05′，北纬40°29′~40°30′；位于延庆县内。

湿地高等植物37科67属84种。国家Ⅱ级保护野生植物1种。

湿地植被划分为4个群系。

脊椎动物13种。其中，鱼类3种，两栖类3种，爬行类3种，鸟类4种。

于1999年建立县级自然保护区，受北京市延庆县园林绿化局管理，成立了北京市延庆县金牛湖县级自然保护区管理处管理机构。

主要受到污染、泥沙淤积威胁。

8. 翠湖国家城市湿地公园重点调查湿地

翠湖国家城市湿地公园重点调查湿地范围面积157公顷，湿地面积为72.04公顷，主要湿地类型为人工湿地。地理坐标为东经116°10′~116°11′，北纬40°06′~40°07′；位于海淀区内。

湿地高等植物46科110属149种。国家Ⅱ级保护野生植物1种。

湿地植被划分为5个群系。

脊椎动物16种。其中，鱼类4种，两栖类5种，爬行类2种，鸟类5种。

于2003年建立湿地公园，2005年升级为国家级湿地公园，受北京市海淀区园林绿化局管理，成立了北京市海淀翠湖湿地公园管理处管理机构。

主要受到基建、城市建设、污染威胁。

参考文献

[1]北京汉石桥湿地自然保护区科考组. 北京汉石桥湿地自然保护区科学考察报告[R], 2005.

[2]北京师范大学, 北京怀柔区渔政监督管理站. 北京市怀沙河、怀九河水生野生动物自然保护区科学考察报告[R], 2005.

[3]北京市城市规划管理局国土规划办公室. 北京地区概况(内部资料)[R], 1984.

[4]北京市环保局. 北京市环境状况公报[R], 1995~2005.

[5]北京市计划委员会国土环保处. 北京国土资源[M]. 北京: 北京科学技术出版社, 1988.

[6]北京市林业局. 北京市湿地保护行动计划[R], 2001.

[7]北京市林业局. 北京市湿地资源调查报告[R], 2000.

[8]蔡其侃. 北京鸟类志[M]. 北京: 北京出版社, 1987.

[9]曹学坤, 蔡学锐. 北京市土地利用研究[M]. 北京: 北京科学技术出版社, 1993.

[10]陈卫, 胡东, 付必谦, 等. 北京湿地生物多样性研究[M]. 北京: 科学出版社, 2007.

[11]高武. 北京野鸟图鉴[M]. 北京: 北京出版社, 2001.

[12]高武等. 北京脊椎动物检索表[M]. 北京: 北京出版社, 1994.

[13]国家林业局. 全国湿地资源调查技术规程(试行)[Z], 2007.

[14]贺士元等. 北京植物志(修订版)[M]. 北京: 北京出版社, 1992.

[15]贺士元. 北京植物检索表[M]. 北京: 科学出版社, 1981.

[16]思忠. 中国淡水鱼类的分布区划[M]. 北京: 科学出版社, 1981.

[17]《湿地科学》编辑委员会. 湿地科学[M]. 北京: 科学出版社, 2006.

[18]首都师范大学生命科学学院, 北京市林业局野生动物保护自然保护区管理站. 野鸭湖湿地保护区资源考察报告[R], 2005.

[19]王鸿媛. 北京鱼类和两栖-爬行动物志[M]. 北京: 北京出版社, 1987.

[20]《中国湿地植被》编辑委员会. 中国湿地植被[M]. 北京: 科学出版社, 1999.

附　件

北京湿地资源调查参与单位及人员（194 人）

市级队伍（14 人）

北京市林业勘察设计院（9 人）

薛　康　杜鹏志　张一鸣　吴　琼　钟建新　常宝成　李　伟　狄文彬　李瑞生

清华大学 3S 研究中心（4 人）

马洪兵　王　侠　谢　磊　燕国青

首都师范大学（1 人）

胡　东

区县级队伍（180 人）

东城区（19 人）

王中华　陈晓梅　王迪生　张爱清　冯　强　高　然　黄　萌　郑治国　王永华
姚　鹏　高金锁　王　森　胡向军　许联瑛　刘月侠　王建平　李凤鸣　国　强
刘春生

西城区（12 人）

白贵海　王　军　常忠民　焦荣梅　卢广全　彭　博　刘金水　马峰杰　高兴春
徐鹤鸣　牛　英　王吉顺

朝阳区（8 人）

郝建国　郜锡忱　钏　辉　李　川　朱昱卓　王宇宏　英　嶼　邸纪舒

丰台区（11 人）

王苏维　申燕民　何秋香　胡国强　高胜印　张国庆　程朝晖　张　劼　滑广炜
周卫红　高明亮

石景山区（6 人）

董筱琴　杨　闯　阎炳金　王　桂　雷立山　赵世英

海淀区（9 人）

吴亚梅　李殿安　王志伟　王晓宇　周　义　王家宝　邢雪松　徐志家　王　菲

门头沟区（18 人）

李　健　郝景儒　梅方泉　苏海联　张文禄　徐志强　罗桂芝　杨德厚　隗有龙
孔令前　魏元东　杨景林　高　杨　郑　磊　王成芳　王　贺　王卫东　赵明腾

房山区（10 人）

顾金锁　朱　凯　丁景韬　薛新华　康远利　张文玉　宋卫兵　张晓楠　隗永合

张进云

通州区(13 人)

于世疆 李柏松 王春喜 高春城 马艳芳 葛 琳 宋长斌 裴文革 孔俊杰 刘 岩 姜丽丽 于冬梅 王文亮

顺义区(10 人)

孙绍洲 杨永金 李春海 肖 怡 李海涛 宋丽萍 杜宝生 刘颖秀 张 勇 郝学辉

昌平区(14 人)

董锦华 王家红 王柄海 周存良 马 军 权克民 孙华彬 李志国 王艳洁 陈明珠 马 毅 赵晓红 崔 岩 王 虎

大兴区(7 人)

刘春起 宋福宽 刘洪军 郭树云 侯立敏 李 静 陈军丽

怀柔区(13 人)

张 月 姜再明 彭天明 武英峰 杨丙海 景海燕 崔尚武 郭仕泉 程海旺 温志勇 张津林 武 靖 周晓颖

平谷区(7 人)

张永富 马永富 王俊青 熊仕军 刘晓瑞 金宝龙 于宝兴

密云县(14 人)

王铁明 侯雅琴 张春平 彭连兴 苗立清 田德新 郑丽红 高清波 马凤原 徐 鹏 石瑞山 马宝忠 邢 为 王化冰

延庆县(9 人)

李凤毅 王淑琴 庞月龙 张可栋 王海霞 陈春杰 郤瑞兰 李建亮 聂永国

后 记

湿地资源调查，目的是查清湿地资源及环境现状，做出全面、客观的分析评价，逐步掌握湿地资源的动态变化规律，为湿地资源的保护、管理和合理利用提供完整准确的基础资料和决策依据，是一项非常重要的基础性工作。在此之前，北京市组织开展过两次湿地资源调查。第一次调查，即第一次全国湿地资源调查，于1997~2000年开展，由原北京市林业局组织实施，北京市野生动物保护自然保护区管理站和首都师范大学生物系组成调查队具体承担。调查范围为市域内面积≥100公顷的河流(包括永久性河流和季节性河流)、库塘(水库)湿地，共3个湿地型。调查结果，全市共有湿地面积3.44万公顷。第二次调查，于2007年开展。调查任务由北京市林业勘察设计院和18个区县林业调查队共同完成，调查范围为市域内面积1公顷及以上的沼泽、蓄水区(含水库)、水塘、水产池塘、稻田/冬水田、采掘区、废水处理场所以及宽度在5米以上、长度在2公里以上的河流、运河和灌渠等，共11个湿地型，面积5.14万公顷。本次湿地资源调查，为北京市开展的第三次湿地调查，暨第二次全国湿地资源调查之北京市湿地资源调查。

2009年1月，北京市湿地资源调查工作全面启动，成立了北京市园林绿化局湿地资源调查工作领导小组、专家技术委员会等组织机构，设置了专门的办公室，负责全市湿地资源调查工作的具体管理，协助区(县)组建了调查队伍。各区(县)也成立了相应的领导小组，做到责任明确，分工具体，措施到位，有力地推动了工作的顺利开展和高效完成。根据《全国湿地资源调查技术规程(试行)》及《全国湿地资源调查工作方案》，结合北京市湿地资源保护和管理的实际情况，编制了《北京市湿地资源调查工作方案》和《北京市湿地资源调查实施细则》。为统一思想认识、统一工作方法、统一技术要求，2009年8月北京市园林绿化局组织举办了全市16个区(县)园林绿化主管部门、湿地自然保护区和湿地公园等单位50余人参加的第二次全国湿地资源调查北京市技术培训班。培训结束后全市湿地资源外业调查工作全面展开，北京市林业勘察设计院技术人员从各区(县)陆续开始外业调查到10月底外业结束，一直在不间断地巡回于各区(县)之间，边学习边检查指导，遇到难题及时请专家解决。同时，两次召开中期会议，通过交流经验，促进了工作。经过我们不懈的努力，确保了外业调查的顺利进行，保证了调查质量。11月外业调查结束转入内业汇总、调查报告编写工作阶段。

调查表明，北京湿地总面积4.81万公顷(不包括水稻田湿地)，占全市总面积的2.93%。包括河流湿地、湖泊湿地、沼泽湿地和人工湿地5个湿地类，及永久性河流湿地、季节性或间歇性河流湿地、洪泛平原湿地、永久性淡水湖湿地、草本沼泽湿地、库塘湿地、运河/输水河湿地、水产养殖场湿地8个湿地型。其中，河流湿地2.27万公顷，占湿地总面积的47.24%，是第二大湿地类；昆明湖是北京地区仅存的湖泊湿地，为永久性淡水湖泊湿地型，后经人工改造形成今日面貌，面积199.65公顷，占湿地总面积的0.41%，是北京最小的一个湿地类；北京地区的沼泽湿地，仅有草本沼泽1个湿地型，面积1246.61公顷，占湿地总面积的2.59%；人工湿地是北京最大的湿地类，面积2.39万公顷，占湿地总面积的49.76%。

北京湿地动植物资源相对较丰富。调查记录到湿地植物(湿生、水生植物)66科196属368种，占全市植物种数的17.62%；调查记录到湿地野生动物(脊椎动物)24目39科202种。其中，湿地鸟类9目15科107种；鱼类9目15科77种；两栖类2目5科8种；爬行类3目3科9种；哺乳类1目1科1种。

北京市湿地资源调查得到了国家林业局湿地保护管理中心、国家林业局规划院、清华大学3S研究中心以及市相关部门、各区县园林绿化主管部门的大力支持。北京市林业勘察设计院组织18个区(县)的林业调查队承担并完成了本次调查任务。在此一并致谢。

在报告撰写过程中，虽然经过反复斟酌和推敲，但由于水平有限，报告中难免有疏漏和不足，恳请领导、专家、学者和广大读者批评指正。

《中国湿地资源·北京卷》编写组

2014年12月